10代のうちに
知って
おきたい

言葉と心の切りかえ術

大野萌子

日常の〝あの場面〟を
どう乗りきればいいかを学ぶ、
話し方教室

笠間書院

装画・本文イラスト　高橋由季

目次

第2章 返事・返答

第3章

注意する・促《うなが》す・お願いする

第4章 意見を言う

第5章 ほめる・励《はげ》ます・気をつかう …… 176

第6章 心の言葉 …… 204

登場人物

学校で

・マコ・

・ハナ・

・ミユ・

・ユイ・

・ユウタ・

・レン・

・ヒロト・

家庭で

・ママ・

はじめに

10代のうちに、「好かれる自己主張」をして会話体験を増やしておく

私はこれまで会社で働く社会人の方の人間関係やコミュニケーションについて多くの相談に乗ってきました。そういう中で気づいたのが、とくに若い人たちに「自己主張しない人」が増えてきたということです。

なぜ、多くの若手社員は「自己主張をしない」のでしょうか。それは、みなさんのような中高生時代からコミュニケーションに慎重《しんちょう》になりすぎて、会話の経験が不足しているからではないかと感じています。

自己主張というと、「わがまま」と勘違《かんちが》いされがちですが、そうではありません。自己主張は、自分の気持ちや意見を相手に伝えることです。ほんのちょっとしたことなのにもかかわらず、自分の気持ちを「言う・言わない」、なにか「行動をする・し

ない」選択《せんたく》があるときに、多くの人が無意識に「言わない・行動しない」を選びます。

そういわれてみると、みなさんも自分の人とのコミュニケーションを振《ふ》り返って思い当たることがあるのではないでしょうか？

ではなぜ、そんなふうにコミュニケーションに慎重になり、「自己主張をする」ことを避《さ》けてしまうのでしょうか。その理由は3つあるのではないかと考えます。

ひとつめは、「タイミングがわからない」ということ。

「今は忙《いそが》しいんじゃないか」「話しかけても大丈夫《だいじょうぶ》だろうか」と、必要以上に考えすぎて、コミュニケーションを取るきっかけを見失ってしまっているのです。

ふたつめは、「なんと言っていいのかがわからない」というものです。

みなさんは、友だちとのやりとりが文章より単語が中心だったり、SNS上では単語をさらに短く省略した会話で完結していませんか？　そういう短い言葉のやりとりでは、気持ちを正確に伝える「会話の経験値」が圧倒《あっとう》的に不足してしまうのです。

コミュニケーションが上手にとれるかどうかは、いかに人と会話をするかという場数の多さが大きく影響《えいきょう》します。しかし、その訓練が10代から十分でないまま大人になってしまうと、社会人になってても「なにをどう言っていいのかがわからない」ということになるのです。

3つめは、「人からどう思われるだろう」と人の目や評価を気にしすぎる点です。ちょっとしたひと言が原因でSNSで炎上《えんじょう》したり、仲間はずれにされるのを見ることで、「あんな目に合うくらいなら……」と、自分の意見は言わないほうが賢明《けんめい》と思い込《こ》んでしまっているようです。

しかし、自分の考えや気持ちを相手に伝えなければ、コミュニケーションは成立しません。「自分はこう考えている」と伝えるから、「相手はどう思っているのか」を知ることができます。そこから、初めてお互《たが》いを理解し合えるようになるのです。

もちろん、困っていることを相談したり、サポートしてほしいと頼《たの》むようなときにも、まずは自分から気持ちや考えを伝えることが必要になります。

世の中には、黙《だま》っていても自分の気持ちに気づいてほしいと考える「察してちゃん」も多くいますが、人は言葉にしてもらわなければ相手を理解することはできません。自己主張なしで、わかってもらったり気持ちを察してもらうのは無理なのです。

人と上手にコミュニケーションが取れる大人になるためにも、10代の今のうちからたくさん人と会話をして、自己主張をする訓練をしておくことはとても大切です。「相手にうまく伝わる・伝わらない」を恐《おそ》れずに、まずは自分の気持ちや意見を話せるようになってください。

中高生のうちにたくさんのトライ&エラーを繰《く》り返しておけば、それは必ず大人になったときの糧《かて》となります。まわりと良好な人間関係を築けるようになり、人生をより豊かで幸せなものにしてくれるでしょう。

もうひとつ、みなさんにお伝えしたいのが、自分の心の声をしっかり聞くことの大切さです。イヤなのにがまんしたり、自分の気持ちにいつもフタをしていると、いつの間にか自分がどう感じているのか、なにをしたいのかがわからなくなります。人とコミュニケーションするには自分の本心がわかっていることが大前提となります。
また、自分の心に問いかけるときは、ポジティブな言葉を意識することも大切です。あなたの最大の味方はあなた自身なのです。

この本では、そんな10代のみなさんのために、つい無意識に使いがちな言葉を切りかえて「好かれる自己主張」を身につける方法についてご紹介《しょうかい》します。

それでは、さっそく学校生活や家庭でよくあるシーンをもとに、相手に気持ちが伝わる言葉の選び方についてみていきましょう。

第1章

会話のキャッチボール

会話のキャッチボールは

相手の言葉をしっかりと受け止めることが基本

会話はキャッチボール。相手の言葉をしっかり受け止める

最初にみなさんに知っておいていただきたいのは、会話は「キャッチボール」だということです。なぜ、会話をするのかというと、お互《たが》いが自分の考えていることや気持ちを言葉にしてやりとりすることでわかり合うことが目的だからです。

そのためには相手が投げてきた言葉のボールを「しっかり受け止める」という作業がとても大切になってきます。

単に「うん、うん」「わかるー!」と言っていれば受け止めていることになるかというと、そうではありません。それだけでは、相手は「自分のことを受け止めてもらった」とまで実感することは難しいでしょう。

そうではなくて、「あなたはそう思っているんだね」と言葉にして返すこと。さらにそのあとで「どうしてそう思うの?」と質問を返したり、「私はこう思うよ」と自分の考えを投げ返すと、相手にもあなたの言葉がすんなり届きます。

気をつけたいのが受け止めたつもりで、言葉のボールを落としてしまうことです。具体的にいうと、「そうなんだ。それでね、……」とか「なるほどね。でさあ、……」など、相手の言葉を受け取ったまま、すぐに別の話題を持ち出したりすることです。

そうすると、気持ちを話した相手は、置いてきぼりになったような感覚となり、モヤモヤしてしまうでしょう。せっかく相手の気持ちを受け取ったのに、これでは相手を理解するチャンスを逃してしまうことになり、とてももったいないですよね。

自分の話が相手に受け止めてもらえなかったり、途中《とちゅう》で置き去りにされてしまうと、「話を聞いてもらえなかった」というさびしさや悔《くや》しさを感じます。それが「自分はないがしろにされた」という怒《いか》りに変わってしまうことも少なくありません。

もし次になにかあったときも「やっぱり、この人は私の話をちゃんと聞いてくれない」という思い込《こ》みが働いて、「自分の気持ちや意見は言いたくない」と考えるようになってしまうかもしれません。

そうならないためにも、まずは相手の言葉をしっかり受け止めて、言葉にして返す作業を普段《ふだん》から意識するようにしたいですね。

case 01

友だちの悩《なや》みの受け止め方

友だちから共通の友だちに対する悩みを相談されて

● ユイ ●

なんか最近、
ミユと気まずいんだよね。
この間、きつく言ったのが、
気に触《さわ》ったのかなー。
避《さ》けられてる気がする。

● ハナ ●

わかるー。私もそういうこと
あったよー。
ミユは気まぐれだから、
ほっとけばそのうち
機嫌がなおるんじゃない?

ついつい言いがちワード……

わかる。
私もそういうこと、あったよ

こんなふうに言ってみよう！

気まずいんだ。
どんなふうに
避けられてるの？

point

〈言葉の繰り返し＋話を促《うなが》す質問〉で受け止める

この会話でハナが「わかるー」と同感していますが、これは「あなたの言っていることは、私は全部わかっている」というふうにも取ることができます。**人は、ほかの人と一緒《いっしょ》にされることを嫌《きら》います**。ユイにしてみると、自分とハナは状況《じょうきょう》が違《ちが》うのに、はなから同じと決めつけられたような気分に。自分の話を軽く受け止められたと感じるかもしれません。

「わかる」という言葉は同感を表すので、相手の気持ちに寄り添《そ》っているように考えがちですが、それはときと場合によります。とても苦労している人に対して、「大変なのはよくわかりますよ」となぐさめても、「この経験をしていないあなたになにがわかるの？」と相手から反発されてしまうことは、よくあることです。

それくらい、人の気持ちというのは繊細《せんさい》なものです。単純に「デパ地下のケーキよりコンビニのケーキのほうが好き」ということなら、「わかるー！」という同意もお互《たが》いを盛り上げる言葉になりますが、ネガティブなことや深刻な話では要注意です。「**わかる」は、表面的に聞こえてしまうことがあることも、知っておく**といいですね。

悩んでいる相手の気持ちを受け止める方法に、「**伝え返し**」があります。「伝え返し」とは、相手の言っていることを受け止めて、その内容をもう一度言葉にして返してあげることを言います。ただし、相手の言葉をそのまますべて繰《く》り返せばいい、というわけではありません。言葉を単純になぞって繰り返されると、言われたほうはバカにされているような気持ちになってしまいます。

大切なのは、あくまでも相手の気持ちの受け止め。ここでは、「**気まずいんだね**」とか「**どんなふうに避けられてるの？**」などの言葉を返すといいでしょう。

「伝え返し」を繰り返すだけでは会話も進みません。相手の気持ちを受け止めたら、それに続けて「**どんなふうに？**」など「**投げかけ（質問）**」をしてみてください。ユイの本心は、自分が心でモヤモヤしていることを聞いてもらいたいことにあります。受け止めてもらい話の続きを促されることで、自分の気持ちを安心して話せるはずです。

case 02

イヤな思いをしたことを友だちに話したい

友だちに愚《ぐ》痴《ち》を聞いてもらっているときに

● ユイ ●

さっき、ミユがえらそうな
言い方してきたんだけど。
ミユって、
ホント性格悪いよね。

うーん。そうかもね……。

● マコ ●

ついつい言いがちワード……

○○って、性格悪いよね

こんなふうに言ってみよう！

○○にえらそうな言い方されて、すごくイヤだったんだ

point

人のことを決めつけず、自分の気持ちを話す

ここではユイは本人がいないところで、ミユの「悪口」を言っています。

「人の悪口は言ってはいけない」というのは、誰《だれ》もが思っていること。確かに、「あの人は性格が悪い」「あの人はわがままだ」と、人のことを決めつけて悪く言うような「悪口」は言うべきではないでしょう。

ただ、**人にイヤなことをされてムッとしたり、悲しい気持ちになったことを口にするのは「悪口」ではなく、いけないことでもありません。**

「ミユは性格が悪い」というのは決めつけですが、「**ミユに『レポートの資料、ユイが集めてよね』と命令口調で言われて腹がたった**」と言うのは、そのときの状況《じょうきょう》と自分の気持ちを話しているだけ。悪口を言いたいのではなく、どんなふうにイヤだったのかを聞いてもらいたいのです。

そういう意味では、ユイが「ミユは性格が悪い」と言っているのも、性格の悪さに

ついて話したいというより、なにがあったか、自分がどんな気持ちになったのかを話すための「前フリ」です。

ミユを「性格が悪い」と言うことでインパクトを持たせて、聞いている人の興味を刺激《しげき》することで、もっと詳《くわ》しく話を聞いてほしいというのが本音でしょう。

しかし、そのような「悪口」に対しては、聞かされる側はなんと答えたらいいのか、身構えて困惑《こんわく》してしまうもの。**「悪口」で同調を得ようとするよりも、自分の気持ちをそのまま言葉にしたほうが、相手も素直にイヤな感情に寄り添《そ》ってくれるでしょう。**

また、悪口への同意を求められたときは、マコのように「そうかもね」というようなあいまいな答えはしないほうがいいでしょう。自分では悪口に同意したつもりがなくても、「マコも一緒《いっしょ》にミユのこと悪く言っていた」という話になりかねないからです。

悪口に対しては、同調せずにスルーするというのが鉄則。いい・悪いのジャッジをせずに、「**どうしたの?**」と話し手の状況を聞いてあげるようにしましょう。

case 03

知っている情報を友だちに共有したい

新しくオープンしたカフェの話題で

● マコ ●

駅前にかわいいカフェが
オープンしたみたいだよ。

へえ～、どんなの？

● ハナ ●

● マコ ●

ケーキがおいしそうだった。

知ってるー。このあいだ、
テレビに出てたよ。
チーズケーキがすごく
おいしいんだって。
でね……。

● ユイ ●

ついつい言いがちワード……

知ってる

こんなふうに言ってみよう！

そうなんだってね。私も気になってたんだ

point

会話の主役を横取りしない

新しい情報や気になること、みんなが注目するような話題では、「私も知ってる！」ということをアピールしたくなりますよね。「新しいことを知っている自分」「誰《だれ》よりも情報通の自分」を自慢《じまん》したい気持ちが先に立って、知っていることをどんどん話したくなります。

でも、それがこの会話例のシチュエーションのようになってしまうと、**話の横取り**です。「知ってるー」という言葉とともに、メインの話し手がマコからユイに移ってしまっています。せっかく自分が話そうと思っていたのに、会話の主役を持っていかれて、当然、最初に話していたマコには不満が残るでしょう。

よくあるのが、グループで話しているようで、全員が自分の話したいことだけを話していて、人の話をまったく聞いていないパターン。もちろん相手の話を「受け止める言葉」もありません。これでは、ただの言いっぱなしです。

自分が話すチャンスがなかった人にとっては、人の言いたいことを聞くだけのつまらない時間になるのではないでしょうか。

繰り返しますが、**会話はキャッチボールが基本**です。キャッチボールは、相手にボールを投げて、もらったほうは**一度そのボールをしっかりと受け止めるというワンアクションを起こしてから、初めて投げ返します**。

自分のところに来たボールをただ素早く打ち返すのでは、言いたいことを言うだけの言葉のラリーにすぎません。話を切り出したほうは気持ちが通じないと感じて、これ以上話そうとする意欲もなくなるでしょう。

もちろん、自分も知っていることを口にしてはいけない、ということではありません。その場合は、まずは「**そうなんだってね**」と受け止めてから、「**私も気になってて、新しいお店のこといろいろ聞いたよー**」と自分が知っている情報について話すようにするとスムーズです。まずは**相手の話に一度、乗ってあげること。受け止める姿勢を示す**と、会話がより楽しく弾《はず》むのではないでしょうか。

case 04

友だちが話題について知らなかった

流行のドラマの話で

ユイ

ねぇねぇ昨日のドラマ見た？
◯◯、
カッコよかったよね！

ハナ

えっと、◯◯って誰だっけ？

ユイ

え、まじで？
◯◯のこと、知らないの!?

ハナ

あぁ、ごめん。
あんまりタレントのこと
詳しくなくて……。

ついつい言いがちワード……

○○のこと、知らないの!?

こんなふうに言ってみよう!

○○っていうのはね……

point

相手をおとしめるマウントは自分にとっても損

友だちや家族との会話で、なにげなく「そんなことも、知らないの!?」と言ってしまうことはよくあるかもしれません。

当人は、素直に驚《おどろ》きを口にしているだけかもしれませんが、言われる側にとっては、上から目線で「**マウント**」をとられているようにも感じます。

「**マウント**」**とは、相手より自分が優位であることを示すような言葉づかいや態度**を指します。わかりやすく言うと、**相手を見下した言動をとる**ということです。

マウントにも、**①自分がすごいとアピールすることで相手の上に立つ**、**②相手を下げることで自分の立ち位置を変えずに上の立場になる**、というふたつのタイプがあります。この会話例では、相手が知らないことを強調することで相手を下げて、自動的に自分の地位を上げているという構図です。

確かに、新しいニュースや流行りの最新情報をいち早くキャッチしていると、「流行に敏感《びんかん》ですごい！」と思われやすくなります。まわりから注目され、会話の主導権をにぎることができるので、優越感《ゆうえつかん》を得たりもするでしょう。

しかし、度が過ぎると、その話題を知らない人を見下し、バカにしている雰囲気《ふんいき》になってしまうことが。まわりからすると、「自慢《じまん》を聞かされている」ようで、嫌気《いやけ》がさしてしまうかも知れません。

もちろん、流行や最新情報にアンテナが敏感なのは、決して悪いことではありません。人より早く情報をキャッチするのは、その人の長所です。だからこそ、「そんなことも知らないの!?」などの余計な一言で印象を落とさないようにしたいですね。

無理やりマウントをとって、会話の主導権をにぎろうとしなくても、「〇〇って誰《だれ》？」と聞かれたら、素直に「**〇〇という俳優はね、……**」**と、自分の知っている情報を共有すればいい**のです。結果的に友だちも関心を示して、会話が盛り上がって楽しく進むでしょう。

case 05

話していたことを途《と》中《ちゅう》で打ち切りたい

友だちと会話中、まだ言えない内容だったと気づいて

ミユ

ねぇねぇ、
実はユイのこと
なんだけどさ。

マコ

え?　ユイがどうかしたの?

ミユ

あー……、
やっぱ、なんでもない。
気にしないで～。

マコ

……。

ついつい言いがちワード……

やっぱ、なんでもない

こんなふうに言ってみよう！

やっぱり今はうまく
話せそうもないから、
もうちょっと整理してみる

point

相手をモヤモヤさせないために打ち切る理由を伝える

途中まで言いかけて話を打ち切られてしまうと、誰《だれ》でもモヤモヤするものです。もし、わざと言いかけて話をやめるのであれば、それは言い換《か》え以前の問題。相手を不快にすることが目的のいじめと思われてもしかたがありません。

でも、そういうつもりではなく、話しかけている途中で「この人にこの話をしてよかったのだろうか？」「なんだかうまく言葉が見つからないかも」と気づき、話を打ち切るケースもありますよね。そういうときに「なんでもない」という言葉で話を切り上げてしまうと、相手は余計に気になってしまいます。

話しかけたことを上手に打ち切るには、その**理由をわかりやすく伝える**ことが必要です。「**うまく考えがまとまらないから**」「**もう少しちゃんと整理してから話すね**」などの説明なら、相手も話し手の気持ちを理解しやすくなります。ただし、続きを話すつもりもないのに、「またあとから話すね」「状況《じょうきょう》が落ち着いたら相談する」など、**そ**

の場限りの発言はNG。あとから「どうなった？」と聞かれて困ることになります。

もちろん、いくら事実だとしても、「あなたに話しちゃダメなことだった」とあからさまに伝えるのは、相手をムッとさせてしまうだけです。

逆に話を打ち切られてしまった側の立場なら、**消化不良の気持ちを正直に伝えてもいい**でしょう。その場合は、「**話が途中で終わると、**（私は）**すごく気になる**」と、シンプルに「**Iメッセージ**（主語＝自分）」で伝えることを心がけます。「（〇〇は）**どうして教えてくれないの？**」などの「**YOUメッセージ**（主語＝相手）」**になると、相手は責められていると感じてしまいます。**

ほかに、会話を途中で打ち切る言葉には、「**もういいよ**」などもあります。これは、相手が自分の思うような反応を示さない、期待した言葉やアドバイスが返ってこないときに、相手を見切る言葉として発するもの。しかし、**言っている本人も本当に「もういい」と思っているわけではありません。**そんなときは、**具体的にどうしてほしいのかを言葉にして伝えて、**お互《たが》いの感情の行き違《ちが》いを防ぎましょう。

case
06

自慢《じまん》したいことがある

SNSの投稿《とうこう》の話題で

● ハナ ●

自慢なわけじゃないけど、
この間、SNSに投稿したら
すごい「いいね」が
ついたんだよね。

へーそうなんだ、
すごいね……。

● ユイ ●

ついつい言いがちワード……

自慢じゃないけど

こんなふうに言ってみよう！

いいことがあったから聞いてくれる？

見て見て！

point

自慢をするなら、うれしい気持ちを素直に表現

「自慢じゃないけど」と言うときほど、実は自慢をしたいのだということは、みなさんもわかっていると思います。

自分が評価されたら自慢をしたい、みんなに言いたいと思うこと自体は、まったく悪いことではありません。むしろ、**人に話してほめてもらいたいと思うのは、ごく自然な感情**です。

しかし、それを「**自慢じゃないけど**」**と言ってしまうと、**「**そんなつもりはなかったのに、こんなに評価されてしまった**」**という嫌味《いやみ》に聞こえてしまう**のです。

また「自慢じゃないけど」という言い方には、「こんなの全然、普通《ふつう》のことなのに」とか「たいしたことじゃないのに」というニュアンスも感じられます。

本来は自慢できるレベルのことを「すごいことではない」「普通でしょ」と言っているのと同じことで、ほかの人はなんだか見下された気がするかもしれません。

それよりも、自慢したいくらいうれしいことなら、素直に「**いいことがあったんだ、聞いてくれる？**」と言うほうが、まわりも一緒《いっしょ》に喜んでくれるでしょう。

一方で、自分が誰《だれ》かから自慢をされると、その成功がうらやましかったり、キラキラして見えたりするものです。「**よかったね」と言いながら、素直に喜べない小さなひっかかりを内心感じるのが、人間の本心**です。ですから、そういうときに100％喜べない自分を責める必要はありません。

もし、自分の中にそういう人をうらやむ気持ちがあることに気づけたなら、それをプラスにするかどうかの別れ道だと考えてみてください。うらやましい気持ちを原動力に自分もそうなれるようにがんばるチャンスにするか、誰かに嫉妬《しっと》しながら「自分なんて」と卑屈《ひくつ》になるのかは、自分次第です。

自分のプラスに結びつけるには、「**なぜうらやましいのか**」を自分に問いかけてみましょう。そこから「**自分にはなにができるんだろう**」と考えられると、**新しい自分の成長**につながりますよ。

case 07

SNSでの先輩《せんぱい》とのやり取り

部活の先輩からきたSNSのメッセージに

ユウタ

明日15時から練習だから、
準備しておいて。

ヒロト

りょ

ユウタ

……。(はぁ?)

ついつい言いがちワード……

りょ

こんなふうに言ってみよう！

わかりました

point

目上の人とのSNSは「書き言葉」で

10代の若い人たちにとっては、SNS上では単語だけだったり言葉を短くした略語でやりとりするのが、ごく当たり前のことになっています。「りょ＝了解《りょうかい》」「よろ＝よろしく」「おつ＝お疲《つか》れさま」などは、みなさんも普段《ふだん》からよく使っているのではないでしょうか。

このように短い言葉で気軽にコミュニケーションができるのは、SNSの便利で楽しいところです。確かに、仲のよい友だちとの会話では短い「話し言葉」を使うことは問題ありませんが、先輩など目上の人に対してそれでは失礼。とくにSNSは本来、文章でのやり取りですから、**目上の人にはていねいな「書き言葉」**を使います。

親しい先輩だったとしても、上下関係があることに変わりはありません。この会話例のように頼《たの》まれごとに対して「りょ（＝了解）」というスタンプだけでは、礼儀《れいぎ》を知らないなと先輩もあきれてしまいそうです。

「親しき仲にも礼儀あり」といいます。リアルでは多少くだけた会話をする仲だとしても、SNS上で先輩と会話する際はていねいな言葉を使うようにしましょう。

もちろん、スタンプを使って会話を楽しく盛り上げること自体はまったく問題ありません。そういうときは、まず**「わかりました」と文字で打ってから、「りょ」という略語スタンプを使う**のも方法です。敬語スタンプなどていねいな言葉づかいのスタンプもありますから、それらを上手に使ってもいいですね。

敬語は使いこなすのが難しい言葉づかいです。無理をして尊敬語や謙譲語《けんじょう》などを使って間違《まちが》えるくらいならば、シンプルに**「です・ます」調のていねい語を話す**ほうがいいでしょう。

よく間違えがちなのが、身内に尊敬語を使ってしまうパターンです。「母がおっしゃっています」（正しくは「母が申しています」）などは、典型的な例ですね。ていねいに**「母が言っております」**という言い方ができれば十分です。

第2章

返事・返答

相手の望む返事をしなくてもOK!
でも、感情的に拒否《きょひ》するのはNG

断りの返事をしてもOK。ただし、感情的な「拒否《きょひ》」をぶつけない

家族や学校の先生からなにか聞かれたときに、「めんどうくさいな」「いちいち、うるさいな」とイラッとしてしまうことがありませんか？　その結果、わざと無視をして返事をしなかったり、「はあ？」「うざっ」といったケンカ腰《ごし》の返事をしてしまったりすることもあるでしょう。

つっけんどんな返事をすることは、友だちとのやりとりでもありそうです。たとえば「進路どうするの？」など、自分があまり聞かれたくないと思っていることを質問されたときに、「関係ないでしょ」と返してしまう。「〇〇やってくれない？」というお願いごとに「なんで私が？」と拒絶《きょぜつ》したりすることもあるかもしれません。

家族でも友だちでも、このような返事をされると当然「ムッ」とするはずです。そのあとの会話や雰囲気《ふんいき》も、ギスギスしたものになってしまうでしょう。

相手から話しかけられたら、返事をするのはコミュニケーションの基本です。だからといって、相手が望むような返事をしなければならないということではありません。

イライラしているときに干渉《かんしょう》されたり、言いたくないことを聞かれたり、やりたくないことを頼《たの》まれたりした際に「断る」ことは、悪いことではないのです。答えたくないことには答えなくてもいいし、いつも素直ないい子でいる必要はありません。

そうはいっても、きつい言い方で「拒否」や「否定」の返事をするのは、トラブルを呼び込《こ》むだけです。そんな言い方をする自分にもイライラして、お互《たが》いイヤな気分を引きずるはめになります。

そういうときは、「イヤだ」「うるさい」というネガティブな言葉を感情的に返す代わりに、「今はそのことは話したくないんだよね」「疲《つか》れているからできない」「やることがたくさんあって難しい」など、自分がそのことについて話せない、もしくは頼まれたことをやれる状況《じょうきょう》ではないと、できるだけ簡単に伝えるようにしてみてください。

相手も「そうなんだ」と納得しやすく、お互いがイライラせずにすみます。

case 08

興味のある役割をすすめられた

友だちと雑談中に生徒会への立候補の話題が出て

• ユイ •

マコはしっかりしているし、
みんなから頼《たよ》りに
されているから、
生徒会長に
立候補しちゃえば？

そんなの**絶対ムリ！**
私なんてできないよ。

• マコ •

ついつい言いがちワード……

絶対ムリ!

こんなふうに言ってみよう!

そんなふうに言ってくれてうれしい。じゃあ、がんばってみようかな

point

「とりあえず1回断る」は不要

興味のある役割をすすめられたり推薦《すいせん》されたりしたら、あなたならどうしますか？　すぐに「やりたい！」と言うのは、〝カッコ悪い〟と思っていたりしませんか？

確かに、日本人はなにかすすめられたら、一度辞退するのが社交辞令と考えがちです。しかし、お互《たが》いが本当に気持ちよくやりとりするためには、そのような形だけのパフォーマンスをする必要はありません。せっかく応援《おうえん》したい、がんばってほしいと思ってくれている相手にしてみると、「絶対ムリ！」という強いフレーズで断られてしまうと、自分の好意が全否定されたようでがっかりしてしまいます。

もし、やってみたい気持ちがあるならば、**相手の言葉を素直に受け取る**のがいちばんです。「**そんなふうに言ってくれるなら、がんばってみようかな**」「**じゃあ立候補したら、ユイもスピーチ原稿《げんこう》を手伝ってくれる？**」。そんなやる気のある言葉が返ってきたら、ユイもうれしくなって、全力で応援しようと思うのではないでしょうか。

「とりあえず断る」という行為《こうい》には、**相手への期待が隠《かく》れていたりもします。**断りつつも、「そんなことないよ、あなたならできるよ」と、もう一度強くすすめてくれるのを待っているのです。

しかし、そんなふうになだめるのは、相手にとってはめんどうくさいことですよね。それよりも、正直に「やってみたい」「推薦してくれてうれしい」という言葉のほうが、ずっとスマートで前向きな印象を与《あた》えます。

ほかにも、一度断ることで、「私はやりたくなかったけれど、ユイが言うから……」とあとから言い訳にする場合もあります。しかし、そのような言い訳は、まわりからすると見苦しいだけ。**自分の決断や行動の責任は、あくまでも自分でとる**ようにしましょう。

また、もし、本当にやりたくないのであれば、**その理由を具体的に伝えてきっぱり断る**こと。なぜイヤなのか具体的な言葉で説明することを意識してみてください。「**人前で話すのが苦手**」なのか、「**選挙に立候補すること自体がイヤ**」なのか。理由がはっきりすることで、無理強いされることもなくなります。

case 09

相手がなにを言いたいかわからない

放課後、友だちから話しかけられて

ハナ

今日の放課後
なにしているの?

ユイ

とくになんにも予定はないよ。

ハナ

ところで、〇〇の動画見た?

ユイ

ううん、最新は見てないかも。

ハナ

昨日から家族が出かけてて、
ひとりで、ホント困る。

ユイ

……**だから、なに?**

ついつい言いがちワード……

だから、なに？

こんなふうに言ってみよう！

ごめん、
言いたいことがよく
わからないんだけど、
なに？

point

話の核心《かくしん》をつかめないときは正直に言う

シチュエーションによっていろいろな意味の使われ方があるのが「だから、なに？」という言葉。この会話例では、話が迷走して相手がなにを話したいのかがよくわからないという状況《じょうきょう》です。「結局、なにが言いたいんだろう？」という疑問が、「だから、なに？」という言葉に表れています。

そうはいっても「だから、なに？」という言い方では、ぶっきらぼうでイライラしているようにも聞こえます。言い方によっては、相手を不安にさせるかもしれません。

ここでは「結局、話の核心はなにかが知りたい」のですから、もう少していねいに**「言いたいことがよくわからないんだけど……」**とか**「その話で私にいちばん伝えたいポイントはなにかな？」**など、**具体的に問いかけ**てみてください。

「だから、なに？」という言葉は、相手の話に関心がないことを伝える意味で使われることもあります。**「だから、なに？」と言うことで、その話題を強制終了《しゅうりょう》させてしまう**のです。せっかくこの話題で盛り上がろうと話しかけてきた相手に対して、冷たい印象を与《あた》えるきつい言葉ですね。

似たようなシチュエーションでは、盛り上がって話している人に対して**「そういうの、好きだよね」**と水を差すケースも。もちろん、会話を楽しんでいる雰囲気《ふんいき》での言葉ならいいですが、言い方によっては相手を見下しているように感じられます。

そのようなきつい印象の言葉を使わなくても、聞きたくない話を終わらせる方法はあります。

たとえば、「今度、家族で海外旅行に行くんだよね」というような話題を振《ふ》られても、興味が持てなければ、**「そうなんだ」と淡々《たんたん》と受け止める**対応をしてみてください。感想も質問もない返答なら、聞きたくないと思っているあなたに対して、相手がしつこくその話題を続けることを防ぐことができます。

case 10

めんどうなことをお願いされた

家族から弟のめんどうを見てほしいと頼《たの》まれて

ママ

弟の宿題、
見てあげてくれない？

ミユ

えーっ、**めんどくさっ**。
なんで、私がそんなコト
しなくちゃいけないの？

ついつい言いがちワード……

めんどくさっ

こんなふうに言ってみよう！

ほかにやることがあるからごめんね

ごめん。宿題が多くて時間とれない

point

心に余裕《よゆう》がないときの口グセ「めんどうくさい」

人になにか頼まれたとき、「めんどうくさいな」と思ってしまうことは、誰《だれ》でもよくあります。心の中で思うだけならいいのですが、それを**そのまま言葉にしてしまうと、当然、相手はムッとしてしまう**でしょう。

とくに家族には遠慮《えんりょ》がなくなるので、そういう無遠慮《ぶえんりょ》な心の声をストレートに言ってしまいがちです。「めんどう」と言われた家族のほうも遠慮がありませんから、カチンとして「そんなふうにいわないで、やってくれてもいいじゃない！」など、強い言葉で返ってきたりして……。お互《たが》いケンカ腰《ごし》になったり、イガイガした雰囲気《ふんいき》になってしまいやすいのです。

もし、やりたくなかったり、おっくうな気持ちが強いのであれば、「めんどうくさい」とそのまま言葉にするよりも、「**なぜやれないのか**」、もしくは「**やりたくないのか**」という**理由をはっきり伝えて断る**ほうが、相手も引き下がりやすくなります。

この会話のシチュエーションで使われている「**めんどうくさい**」**という言葉は、本来、自分の心の中での独り言**ともいえます。そんな**独り言の声が外に出てしまうということは、自分の気持ちに余裕がない証拠《しょうこ》**です。

「めんどうくさい」という言葉が口グセになっているのであれば、精神的に余裕がなく、無気力になっている可能性もあります。なにに対しても無気力で腰《こし》が重くなっているのはどうしてなのか。「めんどうくさい」は、自分にしっかりと向き合うべきサインだと思ってください。

人は追いつめられると、自分のことを深く見つめたり、自分を認める作業をしたくないと思うものです。そういう傾向《けいこう》が今の自分にあると気づいたら、「**疲《つか》れているのかな？**」「**なにが今、問題なんだろう**」**と自分自身に問いかける**チャンス。

思春期はまわりだけでなく、自分にもイライラする時期です。ていねいに自分に向き合うことが、そんなイライラと上手に付き合うコツとなります。

case 11

イヤな提案を断りたい

休日の遊びに着ていくものの相談で

● ユイ ●

日曜日の遊園地、
みんなでおそろいの
Tシャツで行こうよ。

えー、
私、**そういうのダメだから**、
ちょっとイヤかも。
ダサいじゃん。

● ミユ ●

ついつい言いがちワード……

そういうのダメだから

こんなふうに言ってみよう！

おそろいとか
恥《は》ずかしいなあ。
ワンポイント
だけにしない？

point

なにがイヤか伝える＋譲歩《じょうほ》案を出して交渉《こうしょう》

「そういうのダメ」「ちょっとイヤ」というのは、**具体的な気持ちが伝わらないあいまい表現**です。とくに10代のみなさんの会話には、このようなあいまい表現が多く見られます。それでは自分の本心がうまく伝わらないということを普段《ふだん》から意識できるといいですね。

この会話例の場合、なぜイヤなのかがあいまい表現でうまく伝わっていないので、このままだと、ユイ「えー、なんで？　いいじゃん」、ミユ「いや、ホント、イヤなんだって」など、お互《たが》いがモヤモヤする会話が延々と続いてしまうことになりそうです。

「そういうのダメだから」というのを言い換《か》えるなら、まずは**「そういうの」が意味することをはっきり伝えます**。みんなでおそろいなのがダメなのか、Tシャツを着るのがイヤなのか。

また、「ダメ」という言い方は、**相手のことを完全に拒否《きょひ》しているとも受け取れる言葉**です。イヤなことはイヤと伝えつつも、必要以上にきつい印象にならないように、**「苦手だから」「恥ずかしい」**という言葉に置き換えてみてはどうでしょう。それだけで、印象はぐんと変わってきますよね。

相手の提案を断るようなシーンで、覚えておきたいポイントがもうひとつあります。イヤだという自分の意志ははっきりと伝えつつ、**「じゃあ、〇〇だったらどう？」**など**自分が譲歩できる案を一緒《いっしょ》に提案する**方法です。

なんでもかんでも「全部ダメ」と自分の意見をゴリ押《お》しするだけでは、人間関係が気まずくなってしまいます。**イヤなことは断りつつも、相手が言うことに対して譲《ゆず》ってもいいポイントがあるのであれば、自分が譲歩できる条件を伝えてみる。**これこそが人間関係をスムーズにする交渉のテクニックです。

絶対に譲れないときに無理をする必要はありませんが、断るときに一度、「どこか譲れる部分はないかな？」と自分に問いかけてみるといいかもしれません。

case 12

うるさく干渉《かんしょう》されたときの返事

夏休みにのんびりしていたら

● ママ ●

夏休みの宿題、
ちゃんと計画立ててやりなさいよ。
最後の日にいつも大騒《おおさわ》ぎするんだから。

● ユイ ●

はい、はい、はい。
うるさいなー、もう。

ついつい言いがちワード……

はい、はい、はい

こんなふうに言ってみよう！

あ、うん、わかった

point

「わかった」と受容して、会話を終わらせる

みなさんも小さいときから、「はい、はい」などと言葉を重ねる**「ふたつ返事」**はしないように言われてきたと思います。ふたつ返事をするのは適当に答えているだけで、ちゃんと対応していないと思われるからです。**「はい」と言葉では言っていても、「あなたの言うことに聞く耳を持っていませんよ」と伝えているのと同じ。**当然、相手も気を悪くしてしまいます。

とはいえ、確かにこの会話例のように家族に干渉されると、心の中で「うるさいなあ、もう」と思ってしまいますよね。でも、それをそのまま「うるさい」と言葉にしてしまうと、「ちゃんとやらないと、最後に困るのはあなただからね」などの言葉が返ってきて、さらにムカムカしてしまうことに。

不愉快《ふゆかい》な会話はつまらないゲームと同じです。そんなゲームは、どこかでさっさと終わらせたほうがお互《たが》いのためですよね。

家族のうるさい言葉は、いったん「うん、わかった」と「受け止める＝受容する」のがいちばんです。素直な返事が返ってくることで、家族も「ちゃんとわかっているんだな。大丈夫《だいじょうぶ》そうだな」と、それ以上のことは言わなくなるでしょう。

この「受容」は大人でもなかなか難しいこと。思春期で気持ちがイライラしがちな10代のみなさんはなおさら、「そんないい子になれない」と思うかもしれません。

しかし、適当に返事を返したところで、たたみかけるように小言を言われるのがオチです。そう考えると、とりあえず言葉のうえでは家族の意見を「わかった」と受容するのが、結局は自分がイヤな思いをしなくてすむ方法なのです。実際にできるかどうかは別として、頭の中で「受容することでゲーム（イヤな会話）を終わらせればいいんだな」とわかっていれば、条件反射的に相手を怒らせることがなくなります。

もし、あれこれ言われたくなければ、自分から「**宿題は毎日3ページずつ進める予定にしている**」など、**先回りしてスケジュールを伝えてしまう**のも手です。家族も必要以上、干渉してこなくなりますよ。

case 13

家族がこまごま聞いてきてめんどうくさい

家族と新しいクラスの話題で

● ママ ●

新しいクラスはどう？
先生はどんな感じ？
早く友だちつくらなきゃ
ダメよ。

はー、**うざっ**。
ほっといてほしいんだけど。

● ミユ ●

ついつい言いがちワード……

うざっ

こんなふうに言ってみよう！

まだよく
わからないから、
わかったら言うね

クラスは明るそうな
雰《ふん》囲《い》気《き》だったよ

point

めんどうくさい会話を避《さ》ける先回りの一言

家族からいろいろ話しかけられるのが、とにかくめんどうくさい。それは思春期であれば当たり前の感情です。家族に対してつっけんどんな対応をしてしまうのも、見方を変えれば成長の証だといえます。

とはいえ思春期だからといって、どんな言葉を使ってもいいわけではありません。イヤな言葉や攻撃《こうげき》的な態度は家族の雰囲気をギスギスさせるだけでなく、自分にもブーメランのように返ってきて、さらにイライラやモヤモヤすることも多くなります。

もし、みなさんが誰《だれ》かから「うざっ」と言われたら、とても傷つくはずです。ネガティブな言葉を言われて傷つくのは、大人も同じ。

それを本当はわかっているから、「うざっ」と言い返したあとで、「イヤな言い方をしてしまった自分」に対して嫌悪《けんお》感のようなものを感じたりするのです。

なかでも学校生活や友だち関係は、家族からあれこれ聞かれると「うるさいなあ」「言われなくてもわかっているよ」という気持ちになる話題です。でも、それをストレートに言葉にしてイヤな会話が続くくらいなら、「**言われる前に言ってしまう**」のも賢《かしこ》い方法。**先回りして先手を打つことで、干渉《かんしょう》されることを防ぐ**のです。

なにか聞かれたときは、詳《くわ》しく話さなくてもよいので、「**まだよくわからない**」「**なにかわかったら言うね**」など、短い言葉で返してみてください。

家族がうるさく聞いてくるのは、なにも教えてくれないのが不安で心配だから。その不安を先に解消してあげると、安心してあれこれ詮索《せんさく》してくることも少なくなるはずです。

もし、自分が「うざい」というような**ネガティブな言葉が口グセになっているなら、注意したほうがいい**でしょう。ネガティブな言葉ばかりを使っていると、いつの間にか**思考や行動も後ろ向き**になったり、人のせいにするクセがつきやすくなります。

そう考えると、たとえ家族という親しい間柄《あいだがら》であっても、相手が傷つく言葉は相手のためにはもちろん、自分のためにも口にしないのがいちばんです。

case 14

言いたくない話題の返答に困った

友だちから進路の話題を振《ふ》られて

ハナ

来年は受験だねー。
マコはどこ受験するの?
教えて!

うーん、まあ、そのうちね。

マコ

ついつい言いがちワード……

まあ、そのうちね

こんなふうに言ってみよう！

（教えてもいい相手には）
決まったら言うね

（教えたくない相手には）
まだ迷ってる最中だよ

point

下手にはぐらかして相手の興味を刺激《しげき》しない

進路のことなど、あまり人には言いたくない話題というのがありますよね。そのような繊細《せんさい》な話をズバリ聞かれると、どう答えたらいいのか迷ってしまうものです。

マコは、「まあ、そのうちね」と答えることでうまくはぐらかそうとしていますが、これでは相手にモヤッとした印象を与《あた》えてしまいます。なぜなら、「あなたにはあまり言いたくない」というニュアンスを感じさせてしまうから。相手にしてみると、ごまかされた、煙《けむ》に巻かれたと受け取ってしまうでしょう。

「そのうち」という言葉は、暗に部外者扱《あつか》いしているのと同じです。「**あなたには関係ない」と言われたようで、相手はさびしい気持ちになったり、傷ついたりする**でしょう。

また、「そのうち」と煙に巻くことで、「いつならいいの？」と、**逆に相手の興味をそそってしまう**ことにもなります。今はそのことについて話せる状況《じょうきょう》にない、もしくは話したくないのであれば、完全に逆効果になってしまいます。

まだ言える状況でないのであれば、「**10月までには決めようと思っている**」「**もう少し調べてからでないと決められそうもない**」など、**現状をそのまま伝えてください**。余計な誤解や詮索《せんさく》を生むこともなく、相手は「ああ、そうなんだ」と素直に受け取ります。

ときには、実は決まっているのだけれど、聞かれた相手には教えたくないということもあるでしょう。そういうときは「**まだ、考えているところ**」などと言うことで、うまく切り抜《ぬ》けてしまいましょう。言いたくないことを言う必要はありませんが、「あなたには言いたくない」などと言ってしまうと、関係を悪くするだけ。「まだわからない」というように当たり障りのない答えで、その話題を終わらせるのがベストです。

先に相手が「私、〇〇大学に決めたんだよね」と伝えていたりした場合は、「私は言ったのにずるい」などと思わぬ矛先《ほこさき》を向けられてしまうことも。そんな場合も、「教えてなんて言ってないし」と反論せず「**まだ、決めかねているんだよね**」と悩《なや》んでいることをアピールしましょう。決まっていても言いたくない場合も同様です。

case 15

友だちにほめられた

部活の試合後に

● ミユ ●

今日の試合で勝てたのは、
ユイのプレイのおかげだね。
すごいじゃない！

そんなことないよ。
私なんて、まだ下手くそだよ。
ミユのプレイのほうが
すごかったじゃん。

● ユイ ●

ついつい言いがちワード……

そんなことないよ

こんなふうに言ってみよう！

ありがとう。
そう言われるとうれしい

point

ほめられたら素直に「ありがとう」と喜ぶ

ほめられると、多くの人が「そんなことないよ」と条件反射的に答えてしまいがちです。日本では小さい頃《ころ》から「ほめられたら謙遜《けんそん》するもの」と教わるので、ほめられると自然に「そんなことない」と否定するのが当たり前になっているのです。

しかし、ほめてくれるということは、相手のあなたへの好意のあらわれ。がんばっているあなたを応援《おうえん》したい、結果を出したあなたを認めている。そんなポジティブな気持ちを相手は伝えたいと思っています。

あなたの成功やがんばった結果を喜んでくれている言葉には、**素直に「ありがとう」という気持ちで受け取る**のが、相手にとっていちばんうれしいもの。「**ほめてくれてうれしい**」「**一緒《いっしょ》に喜んでくれてありがとう**」「**そう言ってくれると励《はげ》みになる**」。そんな言葉が返ってくると、相手も一層喜んでくれるでしょう。

ときどき人からほめられると、相手がしらけるほど「私なんて全然すごくないです。

本当にダメなんです」と謙遜しすぎる人がいます。自信のなさがそういった態度になるのかもしれませんが、**あまりしつこい謙遜は、せっかくほめてくれた相手の気持ちを否定することにもなる**ので気をつけたいですね。

それとは別のパターンで、「そんなことない、私なんてまだまだ」と言いながら、ダメ押《お》しでさらに「いやいや、あなたは本当にすごい」と相手が言ってくれるのを期待するような展開もあります。

これは、表面上は謙遜しているようで、相手に自分のすごさを何度も言わせることでその**すごさを確認したいという自己顕示《じこけんじ》欲のあらわれ**。当の本人は気づいていなくても、相手は薄々《うすうす》そんな自慢《じまん》を感じ取って、やりとりをめんどうに思っていたりします。

会話例でもうひとつ気になるのが、「ミユのほうがすごい」というユイの言葉です。ユイは自分を比べてミユをほめていますが、ミユがすごいと思っているのであれば、**比較《ひかく》をしないでそのまま「ミユもすごかったね」と言えばいい**だけ。お互《たが》いに称《たた》え合うことで、うれしい気持ちを素直にやりとりできますよ。

case 16

言った・言わないでケンカになった

遅《おそ》く帰宅したときに、家族から

● ママ ●

遅かったね。
7時までに帰るって
言ってたじゃない。

そんなこと言ってないし。
7時くらいになるかもって、
言っただけじゃん。

● ミユ ●

ついつい言いがちワード……

そんなこと言ってないし!

こんなふうに言ってみよう!

ちゃんと伝わってなくてごめん

point

「言った・言わない」は不毛なやりとり

どんなやりとりでもそうですが、「言った・言わない」は精神的にも時間や労力のうえでもムダなやりとりです。お互《たが》いの主張がどこまでも平行線で、結論がうやむやなまま、あと味が悪い結果になることがほとんどでしょう。

言ったつもりのないことを「言ったでしょ!」と言われると、カチンとくるのはわかりますが、「言ってないし!」と言い返したところで相手は納得せず、お互いがイライラするやり取りが続くだけです。

この会話例の場合、問題は最初に「7時くらいになるかも」という、アバウトな言い方をしていることにあります。当人にとっての「7時くらい」は前後30分程度なのに、家族にとってはその幅《はば》が10分だったりするのは、よくある話。

さらに、「かも」という表現が、誤解をさらに大きくしています。『かも』と言っているのだから、7時くらいという時間そのものが変わる可能性がある」と伝えたつもりかもしれません。しかし、家族の頭には「7時」という時間だけが残っていて、「かも」という部分はほとんど聞こえていないものです。

このように、とくに時間や場所、約束ごとでは、**正確に情報を伝えないと、お互いの認識がズレたままになってしまい、あとからもめる原因**になりがちです。

「言った・言わない」でムダにもめるくらいならば、まずは「**うまく伝わってなくて、ごめんね」と心配させたことを素直に謝る**ほうが、お互いイヤな気分を引きずらなくてすみます。

同じようなトラブルを防ぐ意味で、「**部活がないときは7時までには帰る**」、「**遅くなりそうなときは必ず連絡《れんらく》する**」など、**家族とルールを決めておく**のもおすすめです。お互いの意見を取り入れながら決めておけば、不必要なトラブルは避《さ》けられるでしょう。

友だちやほかの人には時間を正確に伝えたり、予定の変更《へんこう》をこまめに連絡して気を使うのに、家族が相手となった途端《とたん》に言い方が雑になる人も少なくありません。

家族だから雑でも大丈夫《だいじょうぶ》と思うのは、甘《あま》えです。大人への成長過程にあるみなさんだからこそ、そんな家族への甘えに少しずつ気づいて卒業していきたいですね。

case
17

約束していたことを忘れてしまった

約束を破ったことを友だちから責められて

・マコ・

今日、貸してくれる
約束だった参考書、
持ってきてくれた?

あ、忘れちゃったー。

・レン・

・マコ・

えー、
今日、ないと困るんだけど。

**忘れちゃったんだから、
しかたないじゃん。**

・レン・

ついつい言いがちワード……

忘れちゃったんだから、
しかたないじゃん

こんなふうに言ってみよう！

ごめん、忘れちゃった。
うちに帰ってから、
必要なところを
写真に撮《と》って送ろうか？

point

失敗は開き直らずに誠意を持って謝る

約束を破られたり、忘れられたりすると、相手は当然、ムッとします。それなのに自分の失敗を棚《たな》に上げて、「忘れたんだから、しかたないじゃん」と開き直られてしまうと、ますますムカついてそれが怒《いか》りに変わってしまうでしょう。

この場合、自分が「忘れてしまった」のは事実ですから、まずはそれを謝ることが最優先です。

失敗を責められたくないという防衛本能から、「しかたないじゃん」と開き直りになってしまうのかもしれませんが、それでは相手からの信頼《しんらい》を失うだけです。「無責任な人」とレッテルをはられて、のちのちそれがマイナスとして自分に返ってくることにもなりかねません。

こういうときは、まずは**誠意を持って謝り、そのうえで失敗をリカバリーするため**

になにができるかを提案すると、相手の怒りもやわらぎます。

たとえば、「**ごめんね。学校の帰りにうちに寄ってくれたら渡《わた》せるよ**」「**ごめん。うちに帰って、必要なページを写真に撮って送るのでも大丈夫《だいじょうぶ》かな？**」というように、「**これならできる**」**という代案を伝えてください**。

もしくは、「**ごめんね、明日は必ず持ってくるから、明日まで待ってもらえる？**」**と交渉《こうしょう》してみる**のもありでしょう。「どこまで、どんなことができるのか」をきちんと説明して提案すれば、相手もそれ以上、失敗を責めたり怒《おこ》ったりしないはずです。

もし、自分がマコの立場で、約束を破った相手が開き直ってきたときも、**代案を出して交渉する**方法は有効です。もちろん、相手から代案を提案してもらうのがいちばんですが、「しょうがない」という相手にその言葉を期待したり、「なんで忘れたのか」と責めてもあまり意味がありません。

「**じゃあ、明日持ってきてくれる？**」と自分から提案して「参考書を貸してもらう」という現実を手に入れるのが賢《かしこ》い選択《せんたく》といえるでしょう。

case 18

家族に命令されてわずらわしい

帰宅後にひと息ついていたら

ママ

家に帰ってから
ダラダラしてないで、
先に宿題を片付けなさい。

うるさいなー。
いちいち口出ししないでよ。
そういうふうに言うから、
宿題する気がなくなるんだよ。

ユイ

ついつい言いがちワード……

いちいち口出ししないでよ

こんなふうに言ってみよう！

私のペースでやるから尊重して

point

言いたいことをそのまま言うのは「甘《あま》え」

家族が心配してあれこれ言ってくるのがわずらわしくて、「いちいち口出ししてほしくない」と思うのは、10代のみなさんにとっては当たり前の感情です。

ただ、case16でもお話ししたように、それを**そのまま言葉にするのは「甘え」**だということは、自覚しておいたほうがいいでしょう。

自分では「甘え」ではなく「自己主張」をしているだけだと思うかもしれません。

もちろん、「甘え」と「自己主張」は違《ちが》います。

考えを主張することはとても大切ですが、**言いたいことをそのまま言うのが自己主張ではない**ことは、知っておくべきです。自己主張をするときは、「相手が受け入れられる方法」だったり、「折り合いがつくような言い方」をすることが求められます。

言いたいことだけ言って、相手の考えや都合を無視するのは、一方的で自分勝手なコミュニケーション。それが「甘えている」ということです。

子どもが家族に対して、相手の気持ちを考えない甘えた言動をするのは、「どんな私でも受け入れてくれるのか」という、家族の愛情を確認するための一面でもあります。しかし、そうはいっても家族も人間です。「口出しをしないで」という否定の言葉で言い返されると、反論もしたくなるでしょう。結局、売り言葉に買い言葉となり、しなくてもいい口ゲンカに発展してしまいます。

そのような家族とのつまらないもめごとにムダな時間やエネルギーを費やすのは、お互いにとって損でしかありません。それよりも**自分の状況《じょうきょう》や考えを説明**して「**私のペースを尊重してほしい**」と理解を求めるほうが、不要なストレスを感じずにすむ方法になります。「**学校から帰ったばかりだから少しリラックスしたい**」「**宿題は集中できる夜にやりたい**」というように、具体的に自分の考えを話してみてください。

1週間のタイムスケジュールを組み立てて、家族と共有するのもおすすめです。予定が事前にわかっていれば、家族もそれに合わせて行動できるので、必要以上に干《かん》渉《しょう》してくることも減るでしょう。

case 19

心配してくれる家族への返事

文化祭の準備で夜《よ》更《ふ》かしして

ママ

昨日、文化祭の準備で
夜遅《おそ》くまで起きてたけど、
疲《つか》れてない？
身体、大丈夫《だいじょうぶ》？

関係ないし。

ミユ

ついつい言いがちワード……

関係ないし

こんなふうに言ってみよう！

ちゃんと考えてるから心配しないで

自分でコントロールできるから、信用して

point

短い単語では、伝えたい気持ちが伝わらない

自分を心配してくれる家族に対して、「関係ない」とつっけんどんに返すのは、case18で説明したように家族への「甘《あま》え」です。「関係ない」と相手をシャットアウトするのは、「家族に頼《たよ》っている自分」と「自立したい自分」という、思春期特有の複雑な感情のあらわれともいえます。

しかしながら**「関係ない」というのは、相手を傷つけるとても強い言葉**です。家族だけでなく、友だちにもそのような突《つ》き放《はな》した言い方をしてしまうこともあるかもしれません。

しかし、そう言えること自体、それだけ親しい間柄《あいだがら》である証拠《しょうこ》です。大切な親しい関係の人を傷つけることは、自分にとってもあと味が悪いこと。相手も自分も傷つけないためにも「関係ない」という言葉は、基本的に口にしないほうがいいですね。

そもそも「関係ない」と言ったからといって、文字通り「私とあなたは関係ない」

と言いたいのではないはずです。それよりも、本当に伝えたいのは「今はこういう気持ちや状況《じょうきょう》だから、あまり干渉《かんしょう》してほしくない」ということでしょう。

つまり、自分の気持ちを正しく表現していないのにもかかわらず、「関係ない」という短い言葉に単純に置き換《か》えてしまっているのです。「ほっといて」という言葉も、これと同じことがいえます。このような短くてインパクトの強い言葉は、言いたいことを正確に伝えず、誤解や行き違《ちが》いを起こしがちなので注意しましょう。

この会話例では、「過干渉をやめてほしい」という気持ちを「関係ない」という言葉で置き換えています。干渉してほしくないのであれば、「**ちゃんと考えてやっているから、私に任せてほしい**」と言えば、家族も理解してくれるでしょう。

SNSで短い単語でやりとりすることが多い10代のみなさんは、自分の気持ちを正確に伝える言葉や文章を使うことが苦手なようです。よりよい人間関係をつくっていくには**自分の気持ちを表現する言葉の数を増やしたり、文章で伝えるスキルを持つ**ことがとても大切です。ぜひ、自分の使う言葉に対してもっと意識を向けてみてください。

第3章

注意する・促《うなが》す・お願いする

言いにくいことこそ
否定ではなく肯定を意識

言いにくいことは「否定」ではなく「肯定《こうてい》」で話す

注意する、こうしたほうがいいよと促《うなが》す、こうしてほしいとお願いする。これらはいずれも相手に対して「言いにくいこと」です。そのため、「どんな言い方をしたらいいのだろう?」と頭の中で言い方を思い巡《めぐ》らせたりするものですね。

言いにくいことを伝えるときは、ズバリ「否定」ではなく「肯定」で伝えるのがポイントです。人は否定や禁止をされると、反発するのが自然な反応。「〇〇しないで」と言われると、強制されているようで素直にその言葉を受け取ることができません。

たとえば、「遅刻《ちこく》するのはよくないよ」ではなく「8時までに来てもらえる?」と注意する。お願いするときは、「明日、本を持ってきてくれなかったら困るからね」ではなく、「明日、本を使うので必ず持ってきてね」というのが肯定的な言い方です。

また、意見をするときは、人はそれぞれ価値観が違《ちが》い、状況《じょうきょう》によってもなにが正しいかは変わってくるということを知っておくべきでしょう。自分の価値観で「間違っている」「悪い」と判断するのは、あまり意味がないのです。

あなたは部活をサボるのは悪いと思っていても、相手にとっては息抜《いきぬ》きが必要なタイミングだったりします。

もちろん、注意をしなければならない場面もあります。それは自分やまわりの誰《だれ》かが、その人の行動で「困っている」ときです。

そういうときにも、「なんで遅刻するの？」「遅刻しないでと言ったよね」といくら感情的に詰《つ》め寄っても、相手が考えや行動を変えることはないでしょう。

それよりも「遅刻されると、みんなが準備を始められなくて困っているんだよね。8時までに来てくれると、すぐにスタートができるんだけど」というように、「誰が、どんなことで、どう困っているのか」を率直に伝えたほうが効果的です。

他人を変えることはできません。人が変わるときは、その人自身が自分で気づいて変わろうとするときなのです。

case 20

お願いしていたことを友だちが忘れた

グループワークで

レン

ごめん、
宿題考えてくるの、
忘れちゃった。

なんでやって
こなかったんだよ!
今日までに**おまえが**
やるはずだっただろう!!

ユウタ

ついつい言いがちワード……

なんで！
おまえがやるはず
だっただろう!!

こんなふうに言ってみよう！

なにか
アイデアはある?

いつまでだったら、
できそう?

point

過去を責めず、これからどうするかを伝える

頼《たの》んだことをやってもらえなかった、自分の期待が裏切られた、というときは、多かれ少なかれ、誰《だれ》でも相手に対してムカムカします。そんな怒《いか》りの感情にまかせて、「なんで！」とか「おまえのせいだろう」というような相手を責める言葉が、思わず口から出てしまうこともありますよね。でも残念ながら、**感情的に相手を責めたところで、お互《たが》いがもっとイライラする結果になりがち**です。

この会話例では、ユウタはレンに「自分の担当分をきちんとやってもらいたい」というのが、いちばん言いたいことです。しかし、「やってこなかった」という事実に注目するあまり、相手の失敗を責め立て問い詰《つ》めてしまっています。人は「自分が責められている」と感じると、途端《とたん》に心を閉ざしてしまうもの。自分を守らねば、という心理が働き、逆に開き直って言い返したりする反撃《はんげき》をしようとします。

なかでも、ここで使われている「**なんで！**」**は、使わないほうがいい言葉のひとつ。**

「なんで！」と強い口調で言われると、「脅《おど》されている」「攻撃《こうげき》されている」という印象を相手に強く与《あた》えてしまいます。そのような対立した関係では、「自分がやるべきことをやってほしい」というユウタの本来の目的からどんどん遠ざかってしまいます。

このようなときは、できなかった過去を追求するのではなく、**「どうしたらできるのか？」という未来の話をする**ことが大切です。

「いつまでだったらできる？」「紙にまとめてなくても、頭の中になにかアイデアはある？」「休み時間に一緒《いっしょ》にやれば、なんとかなりそう？」。そんな言葉かけに変えるだけで、レンから「やってこなくて、ごめん」という素直な言葉が聞けるようになるかもしれません。

ちなみに、人は基本的に名前で呼ばれることで「相手から承認されている」と感じます。親しみを込《こ》めて普段《ふだん》から「おまえ」と呼んでいる間柄《あいだがら》もあるでしょうが、注意したり、言いにくいことを伝えるときは、「おまえ」や「あなた」「あんた」という言い方ではなく、**相手を名前で呼ぶ**ほうが、あなたの言葉を受け入れてくれやすくなります。

case
21

友だちにやる気を出してもらいたい

部活中、みんなの前でスランプの友だちに

ユウタ

レンがシュート
決まらないのは、
練習不足じゃないか?
もっと**やる気出せよ**。

レン

そんなことないよ。
(結果が出ないことに、
俺も悩んでるのに……)

ヒロト

(レンさんだって
がんばっているのに、
そんな言い方はないよな)

ついつい言いがちワード……

やる気出せよ

こんなふうに言ってみよう！

一緒《いっしょ》に練習のしかたを考えようか

point

励《はげ》ましは「Do」ではなく、「Let's」で

友だちに「やる気を出せよ！」と言うときは、相手を励ましたい、がんばってほしいという気持ちが込《こ》められているはずです。でも、それを「やる気」という漠然《ばくぜん》とした言葉で、かつ命令調で言うことで、**相手は上から目線の押《お》しつけと感じるだけでなく、自分は非難されていると思ってしまいます。**

そもそも**「やる気」という言葉自体が、とても抽象的《ちゅうしょう》**なもの。人によって目標やそれに対する熱量、行動もそれぞれ異なります。人によって意味合いや価値観が違《ちが》う「やる気」というキーワードを使って相手に喝《かつ》を入れようとしても、逆効果になることも少なくありません。がんばる気になるより、「やる気って、いったいなんなんだ？」と反発されることもあるでしょう。

そういうときは、まず**「〜しろよ」（Do〜）という命令形はやめて、「一緒に〜しようか」（Let's〜）という誘《さそ》いかけに言い換《か》えてみましょう。**単に「一緒にがんば

ろう」という言い方よりも、**「一緒にシュート練習をやろう」**というように具体的な問題の解決策を提案するとよりいいですね。

この会話例で、もうひとつ気をつけたいのは、当人以外の人がいる前で注意している点です。**個人的な注意や言いにくいことは、人前ではなく1対1で話す**のがコミュニケーションの基本。あえてほかの人の前で注意するのは、その人をおとしめることにつながります。誰《だれ》かを人前でターゲットにすることで、「注意されているこいつより自分はマシ」などという、ゆがんだ優越《ゆうえつ》感を生むことにもなります。

また、みんなの前で注意することは、まわりの人に「あんなふうに言われたくない」という恐怖《きょうふ》心も植えつけます。言いにくいことやマイナスな話をしなければならないときほど、状況《じょうきょう》を見て、直接話すようにしましょう。

ただし、共通のルールを守らないときの注意は例外です。たとえば遅刻《ちこく》はあきらかなルール違反《いはん》です。その事実をみんなも知っている中で人前で注意しても、相手をおとしめることにはなりません。

case 22

後輩《こうはい》にできるようになってほしい

部活の後輩にアドバイスをしようとして

ほかの1年生は
できているのに、
なんでできないの?

ユウタ

すみません。
練習はしているんですけど、
コツがつかめなくて。

ヒロト

マジメに練習すれば
できるでしょ。
難しい技じゃないんだから。

ユウタ

はい……。すみません。

ヒロト

ついつい言いがちワード……

○○はできているのに、なんでできないの？

こんなふうに言ってみよう！

どこがつまずいている原因なのかな？

どうしたらできると思う？

point

人と比較《ひかく》せず、未来の「どうするか」に集中

case20でも出てきた「なんで？」という問いかけは、相手を追いつめることになります。さらに「みんなはできているのに……」という言葉が加わることで、**人と比較して相手を否定・非難している**ことになります。

人には自分を「オンリーワン」として見てほしい、人とは違《ちが》う自分を確立したいという強い欲求があります。**誰《だれ》かと比較されると、自分のオリジナリティを軽く見られたようで、屈辱《くつじょく》的に感じる**のです。

きょうだいのいる人は、小さいころを思い浮《う》かべてみてください。親からきょうだいと比べられて、イヤな気持ちになったことがありませんか？ 比べられるがイヤなのは、子どもだけでなく大人も同じです。

他人を引き合いに出すことは、暗に「その人自身を見ていない」というメッセージ

になりますが、ここではさらに「まわりはできているのに」という言葉が加わっています。つまり、「あなただけができていない」というのと同じで、言われたほうは脅《おど》されたようなプレッシャーを感じるでしょう。

この場面では、先輩《せんぱい》として後輩にできるようになってほしいという思いから、声をかけているはずです。それであれば、できないことを責めるよりも、**今、問題となっていることを見つける手助けをしたり、解決するための糸口を探すような言葉をかけてあげる**といいですね。

「どこに課題を感じてる？」「どうやったら、それができるようになると思う？」などの問いかけがあると、本人も原因や解決手段を言葉にしやすくなります。それでもいい解決方法が見つからないときは、**「○○が難しいなら、××という方法もあるんじゃない？」**など、**具体的な提案**をしてみてもいいですね。「これからできるようになるには、どうしたらいいのか？」に集中した相手に寄り添《そ》う言葉や態度が、後輩を勇気づけてくれるでしょう。

case 23

みんなにもっと真剣《しんけん》に意見を出してもらいたい

文化祭の出し物のアイデア出しで

マコ

クラスの出し物を
なににするか、
みんな考えてきてくれた？

（シーン……）

ユウタ

マコ

え？　誰《だれ》も意見がないの？
文化祭まで時間ないんだよ！
ちゃんと考えてよ！

（うわー、ひとりで
ピリピリしていて、
やりにくいなあ）

ユウタ

ついつい言いがちワード……

ちゃんと◯◯してよ!

こんなふうに言ってみよう!

じゃあ、
こういう方向性なら
◯◯できる?

point

あいまいな表現では、正確に伝わらない

決まったことをしてくれなかったり、約束を守ってもらえなかったりすると、「ちゃんとして！」と言いたくなりますよね。確かに「話が違《ちが》う」と怒《おこ》る気持ちはもっともです。しかし、そこでいくら「ちゃんとして！」と強く言ったところで、相手にはあまり響《ひび》かないことがほとんどではないでしょうか。

なぜ、「ちゃんとして！」という正論が、相手にうまく伝わらないのでしょう。実は「ちゃんと」という言葉は、とてもあいまいで具体性がありません。言っている本人には具体的なイメージがあるかもしれませんが、**「ちゃんと」の定義は人によって違うので、受け止める側も同じように感じるとは限らない**のです。

たとえば、家族から「ちゃんと起きなさい」と言われても、それが7時にベッドの中で目が覚めていればいいのか、朝食のテーブルについていることなのか、受け止め方によって違いますよね。そうすると家族の間でも、「ちゃんと起きる」ということ

がどういうことを指すのか、ズレが生じてしまうのです。

とくに家族や親しい友だちの間柄《あいだがら》では、「いつも一緒《いっしょ》にいるから、これくらいわかるだろう」という気持ちが働いて、感覚的な言葉のやりとりが多くなりがちです。しかし、実際は、お互《たが》いが考える具体的な部分がズレてしまい、それが原因でギクシャクしたり、ケンカに発展することも少なくありません。自分の「ちゃんと」と相手の「ちゃんと」はちょっと違《ちが》うかもしれない。そう思うだけで、もっと正確で具体的に伝えないとわからないことに気づけるのではないでしょうか。

同じようなあいまい表現には、「きちんと」「しっかり」「もっと」などがあります。

また、「ちゃんと考えてよ」という言い方は一方的に押《お》しつけている印象もあります。威圧《いあつ》的に言われても、言われたほうは黙《だま》り込《こ》むだけで、余計にイライラしてしまうでしょう。それより「**じゃあ、こういう方向性だったら、なにかアイデアが浮《う》かぶ？**」とか「**休み時間の間にひとつずつ考えられたりする？**」など、**解決に向けて具体的な提案**をしたほうが、相手の次のアクションを引き出すことができます。

case 24

SNSで既《き》読《どく》無視された

SNSでのやり取りで

昨日メッセージを送ったのに、
なんで返信くれないの?
既読無視しないでよ。

ミユ

ごめん。
うっかり寝落ちしちゃって。
(文句言われているみたいで、
気分が悪いな)

マコ

ついつい言いがちワード……

（あなたは）
既読無視しないでよ

こんなふうに言ってみよう！

（私は）
返事がないから心配したよ

（私は）
メッセージ読んだら
返信をもらえると
うれしいんだけど

point

怒《いか》りの裏にある気持ちを「一メッセージ」で伝える

現代人にとって、リアルよりも増えているのがＳＮＳでのコミュニケーションです。それだけに自分のメッセージが既読無視、もしくは未読無視されてしまうと、とても気になりますよね。

怒りは、すべて「**二次感情**」と呼ばれるもので、「既読無視された」という怒りの奥《おく》には、本当の気持ち、つまり「**一次感情**」が隠《かく》れています。この場合は、モヤモヤした不安、返事がなくて悲しいというのが一次感情となります。

二次感情である怒りを収めるには、その奥にある**一次感情に気づいて癒《い》やしてあげる**ことが大切です。「私は既読無視されてムカついている」ではなく、「私は既読無視されて、がっかりしているんだな」というイメージです。

自分の一次感情に気づいたら、それを相手に伝え、**なにに対して怒りを感じているのかをわかってもらう**ことが大切。同じことを繰《く》り返されないように、「**がっかりした**」

「返信がもらえたらうれしい」などと伝えるほうが理解してもらえるでしょう。

このときに、「あなたが既読無視をしたから」というニュアンスで伝えると、文句を言われているようで相手も「うるさいな〜」と反発する結果に。ここで覚えておきたいのは、case05でも紹介《しょうかい》した「**Iメッセージ**」「**YOUメッセージ**」のテクニックです。

「YOUメッセージ」は、「あなたが〜」と、相手を主語にする言い方です。**YOUメッセージで話すと、相手を責めている、威圧《いあつ》や攻撃《こうげき》をしている印象が強くなります。**

それに対して**自分を主語にするのが「Iメッセージ」。Iメッセージは私が主語なので、自分の気持ちが伝わりやすくなります。**この会話例なら**「（私は）返事がないから心配したよ」「（私は）メッセージを読んだら返信をもらえるとうれしい」**などです。

また、既読になったらすぐに返信がこないと気になってしかたないという人は、SNSに依存《いぞん》しているのかもしれません。勉強や部活などほかのことに打ち込《こ》んで、SNSから少し距離《きょり》をおいてみると気にならなくなりますよ。

case 25

勝手なことをする相手に注意したい

グループワークでプレゼン資料を作製中に

● レン ●

ここは円グラフに変えたけど、問題ないよね。

そんなふうにしないでよ。
なんでそんな
勝手なことするのー。

● ユイ ●

ついつい言いがちワード……

そんなふうにしないでよ

こんなふうに言ってみよう！

なにか理由があるの？

point

言いたいことが伝わらない「あれ・それ・これ」

「あれ・それ・これ」などの指示語は、なにを指しているかがあいまいなので、気づかないうちにお互《たが》いの話がすれ違《ちが》ってしまう原因になりがちです。「あれ取って」「それじゃない」というように指示語が多くなるほど、なんのことを話しているのかよくわからなくなってしまいます。お互い誤解したまま会話が食い違ってしまったり、なんのことかわからないからイライラしてしまいます。

とくに誰《だれ》かに指示を出したり、交渉《こうしょう》をしたりするときは、**指示語はなるべく使わないのがベスト**です。

この会話の中で使われている「そんな」も指示語です。実際にユイが「そんなふう」と言っているのは、レンが円グラフにしたことなのか、みんなに相談せずに変えてしまったことなのか、それともその両方なのかがはっきりしません。

レンに対して「困る」ということを言いたいわけですから、あいまいな指示語をやめて、**「決めたことを相談しないまま変えられるのは困る」**など、**具体的になにがイ**

ヤなのか、それでどうして困るのかをはっきり伝えたほうがいいでしょう。

また、「なんで」という相手を責める印象の言葉があることで、相手はなにが悪いのか理解できないまま一方的に責められているような気分になります。枕詞《まくらことば》のように「なんで」とつけるのは、なるべくやめるよう意識したいですね。

もうひとつ、気になるのは「勝手なことしないでよ」というフレーズです。実際、誰かから「勝手なことしないでよ」と言われると、かなり強く批判されている気がしますよね。**人は批判されていると感じると、自分を守ろうとして逆に攻撃《こうげき》的になる**ので、会話もお互いを責め合う方向に進みがちです。

目的は「円グラフにしてしまった資料をどうするか」ですから、相手を責めたところで問題は解決しません。それよりも「**みんなで棒グラフにしようと決めたのだから、相談もなく変えられてしまうと困るんだけど。なにか理由があるの？**」など、**その行動がダメな理由を伝えたうえで、なぜそうしたのかを聞く**ほうが、話が前向きに進められます。

case 26

友だちの気になる点を伝えたい

いつもあいまいな友だちが気になって

ユイ

ねえねえ、
言いたくないんだけどさあ、
もっとはっきり
言ってくれないと
困るんだよね。

あ……、ごめん。

ハナ

つい つい言いがちワード……

言いたくないんだけどさあ

こんなふうに言ってみよう！

気になっているから伝えておくね

point

会話の始まりのネガティブワードはNG

「言いたくないんだけど」というのは、会話に入る前の前置きとして使われます。しかし、この言葉を聞いたとたん、**相手は「あまり聞きたくない話が始まる」サインだと受け止める**ことになるでしょう。

同じような言葉に「あなたのために言うんだけれど」というのもあります。

自分にとってよくない話は、誰《だれ》でも聞きたくありません。

相手からなにを要求されるのか？　なにかコントロールされそうになるのか？　それともイヤなことを指摘《してき》されるのだろうか？　そんな、自分にとってよくない話が始まりそうとなれば、自然と身構えることになります。

警戒心《けいかいしん》が芽生えた相手は耳をふさいでしまうので、たとえその内容が的確で妥当《だとう》なものであってもすんなり伝わるのが難しくなります。

さらに「言いたくないんだけど」という言葉には、「私は言いたくないけれど、あなたのためにあえてイヤな役目を引き受けている」「しょうがないから言ってあげている」という、**恩着せがましさや大義名分**のようなものがあります。

しかし、その本心は「言いたくない」のではなく「言いにくい」だけだったり、「人から言われたらイヤなことを言ってやろう」という少し意地悪な気持ちだったりします。それを「言いたくないんだけど」と前置きすることで、イヤなことを話す自分は悪くないという言い訳にしているのです。

こうした**ネガティブな言葉を話の冒頭《ぼうとう》にもってくると、相手は最初から心を閉ざしてしまう**ので、コミュニケーションとしては逆効果にしかなりません。「言いたくない」なら「言わなければいいじゃないか」と反発して、伝わるものも伝わらなくなってしまいます。

言いにくいことを話すときだからこそ、言い訳はやめて、「**気になっていることがあるから伝えておくね**」**と素直に言う**ほうが、相手も話を聞く態度になるでしょう。

case 27

ミスをした後輩《こうはい》に一言言いたい

部活の試合後の反省会で

● ユウタ ●

今日の試合で失点したのは、**ヒロトがミスをしたから**だからな。わかっているよな。

はい。すみません。

● ヒロト ●

あんなとこで
失敗するなんて、
おまえ、最悪だな。
どういうつもりだよ。

● ユウタ ●

すみません。

● ヒロト ●

ついつい言いがちワード……

○○がミスをしたから

こんなふうに言ってみよう！

なぜ、ミスをしたと思う？

次にミスを防ぐには、
どうしたらいいかな？

point

怒《いか》りに任せて人を責めるより未来に向けて提案

この会話例では、先輩《せんぱい》のユウタは腹立たしい感情をそのまま後輩《こうはい》にぶつけています。「ヒロトがミスをしたから」と責任を押《お》しつけたうえ、「わかっているよな」と脅《おど》しのような言葉でダメ押しをしています。

こう言われてしまうと、ヒロトはひたすら謝るしかありません。

ここでのユウタの問題点は、試合で失点したことへの怒りを、ヒロトを責めることで解消しようとしていることです。怒りの感情をぶつけるとその場ではすっきりするかもしれませんが、「試合で失点した」という根本的な問題はなにも解決しません。後輩との間に不穏《ふおん》な空気が残るだけで、それ以降の関係性にも影響《えいきょう》しそうです。

大切なのは、失敗を責めることではなく、次に同じようなミスをしないことのはず。それには、「これからどうするか」という**解決策を一緒《いっしょ》に考える**ことが必要です。

たとえば「**なぜ、あそこで失点したと思う?**」というようにヒロトがその原因を考えられるような投げかけをする。もしくは「**次は、どうすれば失点を防げるだろう？**」と未来につながる意見を聞いてみるのもいいでしょう。

先輩がそのような声かけをしてくれたら、ヒロトの気持ちはただ責められているときとは、まったく違《ちが》ってくるはずです。次に失敗しないように自分なりに前向きに考えて、チームが成功できるようによりがんばろうと思うのではないでしょうか。結果的に、それはユウタが望む未来でもあるはずです。

ちなみに相手のことを「**おまえは最悪だ**」**などと言うのは人格否定となり、コミュニケーションにおいては絶対にNG**とされています。行動は批判や注意をされたら変えることができますが、人格そのものを否定されても本人はどうにもできず、傷つくだけです。ですから、誰《だれ》かに注意したり、批判をするときは、本人のあり方そのものではなく、その人の**どんな行動に問題があるのかを明確に指摘《してき》する**ようにします。

たとえば、この会話の場合は、「**あの体勢のときは、必ず左側を確認して**」というように**具体的な行動を指摘する**ようにしましょう。

第4章

意見を言う

自分の言葉に責任を持つ

Iメッセージ

「Iメッセージ」で自分の言葉に責任を持ったアドバイスを

人から「どう思う?」と聞かれたら、なにか役に立つことをアドバイスしなければとがんばって考えて答えてしまっていませんか? 実は、たいていの場合、それに答える必要はないことが多いのです。

相手は質問の形式をとりながらも、あなたに意見を求めているのではなく、「自分の気持ちを聞いてほしい」「自分の意見に同意してほしい」というサインであることがほとんどです。

ですから、会話をするときは「なにか意見を言う」ことよりも、相手の話をじっくり聞くことに意識を向けてみてください。

それでも、なにか言ったほうがよいと判断した場合は、あくまでも「自分の意見」として伝えることがポイントです。

「普通《ふつう》は〜」「みんなは〜」というような前置きはせず、自分が主語の「Iメッセージ」で「私は◯◯だと思うよ」と伝えます。そうすることで、あなた自身が自分の言葉に責任を持つことになり、相手からも信頼《しんらい》を持って耳を傾《かたむ》けてもらえるでしょう。

また、人に意見やアドバイスをするときは押《お》しつけにならないように気をつけることも重要です。

もし、相手がアドバイス通りに行動しなくても、それに対して怒《おこ》るのは筋違《すじちが》い。なぜなら、「どうするか決めるのは、あくまでもその人自身」だからです。

確かに、残念な気持ちになるかもしれませんが、「私のアドバイスを聞いてくれない」と怒るのは、相手をコントロールしようとしているということ。それでは、支配する・される「共依存《きょういぞん》」の関係になってしまいます。

「私は◯◯のほうがいいと思う」と意見を伝えるのはとてもよいのですが、それに続けて「だから、絶対◯◯にしなよ」と強制したり、指示をしたりしないこと。それが相手を尊重する関係となります。

case 28

友だちの直してほしいところを指摘《してき》したい

文化祭用のポスターの作製中に

● ミユ ●

ユイってさー、
大雑把《おおざっぱ》だよね。

え、どこかダメなところ
ある?

● ユイ ●

● ミユ ●

ポスターに下書きが
残っているよ。
これじゃあ、雑すぎるでしょ。

あー、ごめん、ごめん。

● ユイ ●

ついつい言いがちワード……

○○だよね

こんなふうに言ってみよう！

○○なところがあるよね

point

ひとつのことで、その人の人格を決めつけない

人は基本的に、誰《だれ》かに自分のことを決めつけられることを嫌《きら》います。決めつけられると、「あなたに私のなにがわかるの？」「わかったふうなことを言わないでほしい」という気持ちになってしまうのです。

この会話例では、ポスターの下書きを消していなかったというひとつの事実から、ユイが「すべてにおいて大雑把だ」と断定しているように聞こえます。しかし、人にはいろいろな面があります。そういう多面性を無視して、**ひとつのことからその人の人格すべてを決めつけるのは乱暴すぎる**でしょう。

もし、ポスターの仕上がりが雑だと思って、それを指摘したいのであれば、「**大雑把なところがあるよね**」と言い換《か》えてみてください。「そういうところがある」という、あくまでも**その人の一部分を指摘する言い方をする**だけで、相手の人格を決めつけているような印象が薄《うす》らぎ、「私って、そういうところがあるかも？」と素直に受け止

めやすくなります。

「他人に自分のことをわかってほしい」という気持ちは誰にでもあります。とくに迷いがあったり、決断ができないなど、メンタルが不安定なときは、誰かに「あなたはこういう人」と決めてもらうことで安心感を得ようとします。

しかし、誰もがいつも「人に決めつけてほしい」と思っているわけではありません。**むやみに相手の人間性を断定するような言い方はしない**ことです。

また、同じ言葉でも受け止める側によって、印象が違《ちが》ってきます。ここで使われている「大雑把」は、ややネガティブな意味合いを含《ふく》みますが、普段《ふだん》から自分は神経質だと思っている人は、大雑把と言われるのをほめ言葉に感じたりします。

「人からこう見られたい」という自分の理想と、言葉の持つイメージが合っていれば、ネガティブな言葉でもポジティブに聞こえるのです。大雑把をもっとポジティブに言うのであれば、「**おおらか**」と言い換えてみてください。

case 29

やりたくない役を任された

修学旅行の係決めで

● ミユ ●

え？　なんで私が記録係なの？

係決めのとき
ミユいなかったし、悪いけど、
記録係をやってくれない？

● マコ ●

● ミユ ●

えー、**意味わかんない**。
私、そんなのやりたくないし。
写真撮影《さつえい》の担当がよかった。

もう変えられないから、
お願い、やってよ～。
（本当にわがままだな～）

● マコ ●

ついつい言いがちワード……

意味わかんない

こんなふうに言ってみよう！

記録とか苦手だから、誰《だれ》かサポートしてほしいな

point

イヤだけれど断れない。それなら有利に交渉《こうしょう》を

この会話例からもわかるように、「**意味わかんない**」**という言い方は、**「**絶対にヤダ**」「**そういうことはしたくない**」「**理解できない**」**などの強い拒否《きょひ》感を示します。**

しかし、そのように**相手の提案を完全にシャットアウトして**「**受け入れない**」**姿勢は、自分にとっても損**なこと。まわりから引かれて「めんどうな人」と思われてしまうだけでしょう。人と人の会話はコミュニケーションです。自分の希望を言いっぱなしにするだけでは、一方的な会話で終わってしまいます。

気が進まないこと、やりたくないことをやらなくてはいけない場面は、大人になってからも必ず巡《めぐ》ってきます。そういうときに、「やりたくありません」と、とりつく島もないような返事をしていては、チャンスは巡ってこなくなります。その先、自分がやりたいと思うことがあっても、「あの人には任せづらい」となってしまうのです。

では、どうしたらいいのでしょう？

もし、本当は断りたいけれど、誰かがやらなくてはいけないことが自分に回ってきたら？「意味がわからない」と不満をぶつけるよりも、「**どういう条件ならやってもいいのか**」**を提案して交渉する**、と頭を切りかえてみてください。

たとえば、「**○○の部分を誰かがサポートしてくれるなら、やってもいいよ**」とか、「**記録を整理するのに時間がかかるから、締切《しめきり》まで2週間くらいくれるならがんばってみる**」というように、自分の負担が減って有利にできるように「交渉」するのです。

なぜイヤなのかもきちんと伝えておくことも重要です。「**私には荷が重いから**」「**部活と両立するのが大変だから**」など、自分の気持ちや状況《じょうきょう》を正確に話すことで、相手も考えるべき点が見えてきます。

「**資料集めは手分けしたい**」「**ひとりだけではムリ**」など、**自分が譲《ゆず》れないこと、できないことをはっきり伝えておく**こともポイントですよ。

case
30

家族と意見が合わないと相談を受けた

友だちと雑談中に塾《じゅく》の話題で

・ユイ・

親がしつこく
塾に行けって
うるさいんだよね。

えー、**私はお母さんのほうが**
正しいと思うよ。
絶対、塾のほうが効率いいし。

・マコ・

ついつい言いがちワード……

私は○○のほうが正しいと思うよ

こんなふうに言ってみよう！

しつこく言われるんだ。○○はどう思っているの？

point

比較《ひかく》や否定は関係をギクシャクさせる原因に

コミュニケーションでの「**四大トラブルワード**」とされるのが、「**比較・非難・否定・批判**」です。この会話では「**お母さんのほうが**」という「**比較**」と、「**お母さんのほうが正しい＝あなたは間違《まちが》っている**」という「**否定**」のふたつのトラブルワードが含《ふく》まれています。

また、「**絶対に**」**というのは、根拠《こんきょ》のない決めつけ**です。みなさんも日常会話で「絶対」という言葉を無意識に使いがちだと思いますが、決めつけている印象が強いので気軽に使うのは避《さ》けたほうがいい言葉です。

そもそもこの会話でユイは、お母さんと意見が合わないことに悩《なや》んでいる気持ちを誰《だれ》かに聞いてもらいたいだけ。マコの意見を求めているわけではないのです。

そんなときは、case01でも紹介《しょうかい》した「**受け止め**」＋「**投げかけ**（**質問**）」で、相手の気持ちを受け止めて、その気持ちを具体的に言える質問をするのがベストです。「**お母さんと意見が合わないんだ。どんなふうに？**」などと問いかけてみてください。

求められていないのであれば、意見はしないのも大切です。繰《く》り返しますが、ユイは自分の気持ちを話したいだけで、意見は求めていません。よく「どう思う？」と言いますが、実はこれも**相手の意見を聞きたいのではなく、それをきっかけに自分が思っていることをもっと話したいだけ**なのがほとんどです。

話を聞くと、すぐにアドバイスをしたがる人もいます。そういう人は「問題解決志向型」で、問題があったら必ず答えを導き出さなくてはいけないと考える傾向があります。問題解決志向型の人は、なにかを決めたり問題を解決したいときにはリーダーシップを発揮しますが、友だち同士の日常的な会話では押しつけにならないように注意が必要です。

日常会話では、解決策を見つけるというより、話を聞いてもらいたいだけですから、聞かれてもいない自分の意見をペラペラ話すのは余計なお節介《せっかい》。**具体的にどうしたらいいのかを聞かれたときに、初めてアドバイスすればいい**と思います。

case 31

誘《さそ》ってくれなかったことへの不満

自分以外の友だちが遊びに行くと聞いて

ユウタ

来週、マコたちと
映画に行くんだって?
その話聞いてないんだけど
……。

あ、ああ。なんかユウタ、
忙《いそが》しそうだったから。
誘ってほしかった?

レン

(ちょっとムッとして)
別にいいんだけど。

ユウタ

ついつい言いがちワード……

別にいいんだけど

こんなふうに言ってみよう！

忙しいけど、
声くらいはかけて
ほしかったな

point

本心と裏腹の「いいんだけど」でごまかさない

「別にいいんだけど……」という言葉は、本当はイヤだなと思っているときによく使う言葉です。不満な気持ちを抑《おさ》えて、言葉のうえでは納得しているように見せていますが、「けど……」の部分には**不満だと暗に伝えたい気持ちが隠《かく》れています。**

まずなによりも、**自分の本当の気持ち**（**イヤだ、不満だ**）**に気づいて、自覚する**ことがとても大切です。そして、**その気持ちを素直に言葉にしてみましょう。**

会話例のような場面で「誘ってほしかった」と言うのは負けた気がしてイヤだという人もいますが、コミュニケーションは勝ち負けではありません。

レンは、ユウタが忙しそうだから、遠慮《えんりょ》して誘わなかったと言っています。誘っても来ないだろう、迷惑《めいわく》かもしれないという雰囲気《ふんいき》があると、相手も声をかけにくいもの。人を誘うには、小さな勇気が必要です。ましてや、思い切って誘ったのに断られてしまったらがっかりしてしまいますよね。

そう考えると、誘えば乗り気で来てくれる、断るときも**「今回はどうしてもダメだけど、次は行くね」**などと言ってくれる人のほうが誘いやすくなります。声をかけてほしいのであれば、普段《ふだん》から**「今度遊びに行くときは、誘ってね」**などと、自分も誘われたら行きたいと思っていることを言葉にしてアピールしておくといいですね。

黙《だま》っていても、誘われたいと思っていることに気づいてほしい、それくらいわかってほしいというのは、**人に配慮《はいりょ》を求める「察してちゃん」**です。

本書でも繰《く》り返し伝えていますが、気持ちは言葉にして言わなければ、相手には伝わりません。黙っていてもわかってくれるはずだというのは、無理な話だと理解しておくことはとても重要です。

それよりも、自分のそのときの気持ちや状況《じょうきょう》をきちんと言葉にすることで、「部活が大変でも、遊ぶ時間をつくれるんだな」「忙しくても、誘っていいんだな」と理解してもらうほうが、相手も自分もずっとラクにコミュニケーションができます。

case 32

ウワサ話への返答

下校中、共通の友だちの話題で

・ハナ・

今日のミユ、
元気なかったね。
なんかあったのかな？

・ユイ・

彼氏とケンカでも
したんじゃない？
知らんけど。

ついつい言いがちワード……

知らんけど

こんなふうに言ってみよう！

どうしたんだろうね？

あとで連絡《れんらく》してみるよ

point

流行りでもネガティブワードは気軽に使わない

「知らんけど」は、2022年の流行語大賞にノミネートされるほど、若い人たちを中心によく使われる言葉です。もともとは関西圏《けん》で使われている言葉でしたが、いまやすっかり全国区の流行語に。

「知らんけど」と最後に付け足すことで、自分が話したことに責任を持たない、いわばチャラにできる便利な言葉としてよく使われています。

この会話でいうと、ユイはなんの根拠《こんきょ》もなく「今日、ミユの元気がなかったのは、彼氏《かれし》とケンカしたのが原因」という憶測《おくそく》を話しています。「根も葉もない噂《うわさ》」という言い方がありますが、まさにこのような根拠や確証がないことを指します。

ユイにしてみると、根拠のない言葉でも最後に「知らんけど」と言うことで、責任逃《のが》れをしたつもりかもしれません。しかし、発言した言葉には責任がつきものです。あとから、それが原因でトラブルになることも少なくありません。

適当なことを言って、最後に「知らんけど」と言い訳をするのではなく、**自分の言葉にはきちんと責任を持つ**ようにしたいですね。

この場合は、自分が知らないことを適当に答えるのではなく、「**どうしたんだろうね？**」とハナの心配に同調する、もしくは、「**あとで私から連絡してみるよ**」と、自分からミユに連絡してみると提案するのはどうでしょう。

また、「知らんけど」という言葉は、なんとなく適当に返された、うやむやにされたという印象を相手に与《あた》えます。大事な話だったり、誰《だれ》かに真剣《しんけん》にアドバイスをするときに、「知らんけど」というフレーズを使ってしまうと、一気にその人の話を信頼《しんらい》する気が失せてしまいます。

流行り言葉は、みんなが使っているから大丈夫《だいじょうぶ》という感覚になりがちです。でも、言われたほうが不快になるようなシーンでは使わないのがいちばん。相手の気持ちを尊重して、自分が責任を持てるような言葉選びを大切にしましょう。

case 33

自分の意見を相手に聞いてもらいたい

部活の練習方法についての意見交換《こうかん》で

部活の練習時間を15分
増やしたほうが
いいんじゃないかな?

● ミユ ●

でも、時間を増やすより、
練習メニュー工夫したほうが
いいんじゃない?
みんな、そう言ってるよ。

● ユイ ●

ついつい言いがちワード……

みんな、そう言ってるよ

こんなふうに言ってみよう！

（私は）
そうしたほうが
いいと思う

point

誰《だれ》かはっきりしない「みんな」に頼《たよ》らない

小さいときに「みんなが持っているから自分もほしい」と家族にねだって、「みんなって誰?」と聞かれたことはありませんか? ここでいう「みんながそう言っている」の「みんな」もそれと同じです。

ユイは、「練習メニューを工夫するほうがいい」という自分の意見を通そうとして、「みんなもそう言っている」と付け加えています。それによって、ミユが大勢の意見に反対しにくい状況《じょうきょう》をつくっているのです。

そもそも、「みんなも言っている」という言葉からは、誰がそう言っているのかがはっきりしません。しかし、**大勢の人たちがその意見に味方していると感じさせる効果がある**ので、言われたほうは「多数決で負けている」「大勢の意見には従ったほうがいいのかも」という**心理的プレッシャーを感じる**ことになります。

つまり、「みんなが言っている」と言うことは、交渉《こうしょう》の材料になっているということです。しかし、シビアな話し合いになればなるほど、言われた方は「そもそも『みんな』とは、誰のこと？」という疑問にぶつかるでしょう。

それが本当にみんなの意見なのか？　そうではなくて、それを口にしている人の意見なだけではないのか？

そんなふうに相手が疑心暗鬼《ぎしんあんき》になってしまっては、スムーズに話し合いを重ねることも、ベストな解決策を見つけることも難しくなってしまいます。

建設的な解決策を見つけるには、その場にいない、誰かもはっきりしない「みんなの意見」という言葉よりも、**あくまでも自分の考えとして話すほうが誠意を感じられて相手の心に響《ひび》きます。**

「みんなも言っている」というような責任逃《のが》れの保険の言葉は使わずに、**「私はこう思う」**と**私を主語にした「Ｉメッセージ」**でシンプルに話してみてください。

そうすることで余計な先入観を持たずに、お互《たが》いが素直な気持ちになって、前向きに話し合いをすることができると思います。

case 34

自分のイチオシを友だちにすすめたい

アルバイトの話題で

ユイ
ハナも
バイトしたほうがいいよ。

ハナ
でも、勉強と両立できないし。

ユイ
いや、楽しいから
絶対したほうがいいって。

ハナ
うーん、でも今度ボランティア
始めることにしたんだよね。

ユイ
えー、なんでそっちなの?
ボランティアよりバイトの
ほうが絶対いいじゃん。

ついつい言いがちワード……

絶対したほうがいい

こんなふうに言ってみよう！

（私は）
したほうがいいと思う

point

「絶対に～」という言い方で相手に強要しない

「絶対、◯◯のほうがいい」というのは、相手に対してかなり強く押《お》しつけた言い方です。そもそも、**なにごとにおいても「絶対」ということはありません**。そういう意味でも、「絶対」という言葉を使うのはあまりおすすめしません。

「絶対」という言葉を使う人からしてみると、相手に強要したり、押しつけたりしているつもりはなく、親切心から強くすすめているのかもしれません。しかし、人は誰《だれ》でも、自分のことは自分で決めたいと考えています。人から「絶対にこっちにしたほうがいい」と言われるのは、**押しつけられているようで、いい気持ちがしない**のです。

たとえその人にとっては「絶対によい」ことでも、ほかの人がそれをよいと思うかどうかは別問題。それなのに「絶対」と言い切られてしまうと、相手は押しつけられていると感じるだけでなく、断ったり、否定したりしにくくなってしまいます。

会話の中で、「絶対◯◯がいい」「絶対◯◯だ」など、**「絶対」という言葉をよく使っている人は承認欲求が強い**ともいえます。**承認欲求とは「人から認められたい」「自分が価値のある存在と思われたい」という願望**のこと。

自分の言っていることやっていることは正しいのだから、みんなに認めてもらいたい。そう自分を正当化しようとする気持ちから、「絶対」という強い言葉を使って相手に自分の考えを認めさせようとするのです。

しかし、人にアドバイスを受け入れてほしければ、自分の意見を「絶対」と押しつけるのは逆効果です。

それよりも、**「私はこう思う」**という**「Iメッセージ（主語＝自分）」**で自分の考えを伝えてみてください。きっと相手も素直にその言葉に耳を傾《かたむ》けてくれるでしょう。

アルバイトをしたことで**「まわりにいないタイプの友だちができた」「進路を決める際の参考になった」**など、**Iメッセージで体験談を話す**のもいいですね。相手にとっては、それがおすすめの根拠《こんきょ》となる具体的なケーススタディとなります。

case 35

やめた方がいいと思う気持ちを伝えたい

ダイエットの話題で

• ハナ •

ダイエットして、
やせようと思ってるの。

ええー！
そんなのやめなよ。
続かないよ。

• ユイ •

ついつい言いがちワード……

そんなのやめなよ

こんなふうに言ってみよう！

どんな方法なの？

（私は）あんまり無理なダイエットはしないほうがいいと思うよ

point

頭ごなしの全否定は相手をムキにして、逆効果

誰《だれ》かに対して「やめたほうがいい」という自分の気持ちを伝えること自体は、まったく問題ありません。しかし、「そんなのやめなよ」という言い方になると、**相手を完全否定している**ことに。ここでは、さらに命令調で言っているので、言われたほうは戸惑《とまど》ったり、ムッとして相手に反感を持つことになりかねません。

人から指示をされたり、命令をされるのは、誰でもイヤなものです。とくに自分でも「よくない」とわかっていることを、人から「やめなよ」と言われると、「人から言われたくない」という気持ちになって、ムキになってしまうことも。

こういう心理状態を心理学用語では「**心理的リアクタンス**」といいます。心理的リアクタンスとは、**人からなにかを強制されると、自分の自由を取り戻《もど》そうと反抗《はんこう》心を持ちやすくなる**ことを意味します。

よくあるのが、「あんな人はやめておきなさい」と周囲に恋愛《れんあい》を反対されるほど、

ふたりが盛り上がってしまうというパターンです。

本当にやめたほうがいいというアドバイスがしたいなら、頭ごなしに「そんなのやめなよ」と否定するのではなく、**「どんな方法でダイエットするの？」**と相手の話をていねいに聞いたり、**「私はこういうダイエットをやったけど、こういうことが原因で続かなかったよ」**という自分の体験談を話すのもいいかもしれません。このときに気をつけたいのは、決して押《お》しつけた言い方にならないことです。

また、頭ごなしに相手の意見を全否定するのは、相手のことを「自分ごと」として捉《とら》えているともいえます。それは**相手と自分の「境界線」があいまいで、相手の問題にずかずか踏《ふ》み込《こ》んでいる**ことになります。

人との良好な関係を保つには、適度な距離《きょり》感がとても大切です。**相手の問題は相手が決めること。**その領域に踏み込んでなんとかしようとせずに、一定の距離を置いてコミュニケーションを重ねるほうが、最終的には相手の気持ちを動かすことにもなります。

case 36

してほしいことを相手がしてくれない

SNSで質問したことに対して返信がない友だちに

● ユイ ●

グループのSNSで
返信くれてないの
あんただけだよ。
ハナってホント
天然だよね～。

えー、なんで？

● ハナ ●

ついつい言いがちワード……

天然だよね

こんなふうに言ってみよう！

グループのSNSで質問されたら、返信してね

point

肯定《こうてい》・否定の両方の意味を持つ言葉は要注意

「天然」という言葉は、最近、よく使われる言葉のひとつです。しかし、この「天然」という言葉の意味は、ときと場合によってかなりトーンが違《ちが》ってきます。

「素朴《そぼく》」「かわいい」というようなポジティブな意味を持つこともあれば、「空気が読めない」「どこかズレてる」とバカにしたり、非難の気持ちを込《こ》めたりして使われるときもあります。

「天然」という文字や響《ひび》きには、ふんわりしたやさしい感じがあるので、気軽に使いがちですが、**プラスとマイナスの正反対の意味合いがある**のです。

同じように**肯定と否定、両方の意味で使われる言葉に「大丈夫《だいじょうぶ》」**があります。本来は、肯定の意味を持つ言葉ですが、最近は、「やりますか?」「要りますか?」などと聞かれたときに断る意味合いで「大丈夫です」と使われることも多くなりました。

こうした正反対の意味で使われることがある言葉は、**相手を混乱させたり、会話が**

ズレる原因にもなりやすいもの。伝えたいことが正しく伝わらないかもしれないという点で、使い方が難しい言葉だといえます。

ここではSNSのグループでみんなで会話をしているときに、ハナだけ既読《きどく》したまま返信をしないでいるという状態です。

ユイが苦笑しながらやさしい感じで、「天然だ」と指摘しているのであれば、「まったく、しょうがないなあ～」というニュアンスですが、語気がきつい感じなら「いい加減にして」と怒《おこ》っているということ。

いずれにしても、ハナにしてみると、ぼんやりと「天然」と言われても、自分のどこがズレているのかがピンときません。自分がどうしたらいいのかわからず戸惑《とまど》ったり、不安になるだけでしょう。

ここでは、**具体的な言葉でどうしてほしいかを伝える**のが、お互《たが》いにとってベストです。「**グループのSNSで質問が上がっていたら、返信してね**」と言われれば、ハナも意識的に返信してくれるはずです。

第5章

ほめる・励《はげ》ます・気をつかう

できるだけ具体的な行動をほめる・励ます

ほめる・励《はげ》ますは「具体的な行動やプロセス」を取り上げて

ほめるときは漠然《ばくぜん》と「すごいね！」「素敵！」と言うよりも、「○○がよかったよ！」「○○がすごいね！」など、できるだけ具体的なことをほめるようにします。

よく親が小さな子どもをほめるときに、「すごいね」「えらいね」「よくできたね」という言葉を使いますが、これはあまりよいほめ方とはいえません。なぜなら、子どもは「なにに対してほめられたのか」がよくわからないから。そのため、子育てでは、子どもをほめるときは、その具体的な行動をほめるのがよいとされています。

これはなにも子育てに限ったことではありません。たとえば「絵がうまいね！」というより、「絵の色使いに迫力《はくりょく》があって、すごく素敵だね！」と言うほうが、本当にほめてくれているんだなと実感できますよね。

逆に単に「すごいね！」という言葉を連発するのは、「おべっかを使っている？」「バカにしている？」「嫌味《いやみ》なの？」と感じさせてしまったりもします。

また、人をほめるときは、そのプロセスに対するコメントをプラスするといいですね。「毎日遅《おそ》くまで練習してただけに、あのときのシュートがすごかったよ」「細かいところまで修正してたのを見ていたから、青色の使い方へのこだわりがよくわかる」と言われると、相手はさらにうれしく感じるでしょう。

「プロセスをいたわる」のが有効なのは、励ますときにおいても同じです。

人からほめられるときは、「○○が成功して私もうれしい」「○○ががんばっているのが私も励みになる」と言われると、よりうれしいものです。とくに友だち同士では、一種の評価である「すごい」という表現よりも、「私もうれしい」というほうが対等な印象があり、お互《たが》いが気持ちよく会話できるでしょう。

気をつかって言葉選びを迷って「きっとこうだろう」「こんなこと言ったら悪いかな」と考えるのは勝手な思い込《こ》みであることが多く、かえって相手を傷つけたり混乱させてしまうことも。相手の意見を聞く態度は大切ですが、わかったつもりで判断するのは避《さ》けましょう。

case 37

友だちの元気がなくて心配

みんなで雑談中、いつもより口数が少ない友だちに

今日のマコ、
反応薄《うす》いよね～!
なんかちょっと暗くない?

● ミユ ●

……。そんなことないよ……。

● マコ ●

ついつい言いがちワード……

なんか暗くない？

こんなふうに言ってみよう！

元気？　なんかあった？

point

「暗い」と決めつけず、質問で言葉を引き出す

友だちから「暗い」と言われて、うれしい気持ちのする人はいませんよね。元気のない友だちの様子が心配ならば、**その気持ちを正確に表現**してみましょう。「**元気？**」と声をかけて、そのあとに「**なにかあった？**」など質問してみると、言われた相手も自分が悩《なや》んでいることや困っていることを話すきっかけになります。

人は他人から自分を決めつけられるのが、とてもイヤなもの。その一方、自分の話を誰《だれ》かに聞いてほしいという気持ちが強くあります。「**気にしてほしいけれど、決めつけられたくない**」――それが人間の心理です。相手を一方的に決めつけるような言い方は避《さ》けて、「あなたのことを気にしているよ」と伝わる言葉を選んでみましょう。

インスタグラムなどSNSの影響《えいきょう》で、私たちは無意識に「**いつでも元気で明るく、きれいな自分でいなくてはならない**」**と思い込《こ》みがち**です。そのため、相手に対して「暗い」と言うことは、「いつも元気でいるべき」「暗い雰囲気《ふんいき》をやめてほしい」とい

うメッセージを伝えていることにもなるのです。しかも、漠然《ばくぜん》とした「暗い」という言葉では、言われたほうは「表情が暗いのか?」「服装がイケていないのか?」など、自分のどこが暗い印象を与《あた》えているのかがはっきりわかりません。

また、印象を表現する「暗い」という言葉は、**見た目で人を判断したり、容姿を理由に差別するルッキズム**（**外見至上主義**）**にもあたります。**

たとえば、見た目がきれいでかっこいいのがよくて、ダサい、太っているのはダメという偏見《へんけん》は、ルッキズムの一種です。「暗い」だけでなく、「陽キャ・陰《いん》キャ」という言葉も、差別やいじめにつながる言葉なので注意しましょう。

言葉の持つ力について、ここでひとつ、興味深い話をご紹介《しょうかい》します。

アメリカの高校で行われた実験では、元気に登校したのにもかかわらず、学校で「顔色が悪い」「元気がない」などのネガティブな言葉を3人以上に言われると、本当に体調が悪くなって保健室に行く生徒の割合が増えるという結果がでたそうです。つまり、**マイナスの言葉はそれほど相手に与える影響が大きい**のです。

case
38

自信をなくしている友だちを励《はげ》ましたい

めずらしく愚《ぐ》痴《ち》を言う友だちとの会話で

● ユウタ ●

最近、部員のチームワークがよくないんだ。
こんなんで次の試合、
勝てるのかな～。

なんだよ、**ユウタらしくない**。
ユウタは部長なんだから、
弱気になって愚痴るなよ。

● レン ●

ついつい言いがちワード……

○○らしくない

こんなふうに言ってみよう！

どうした？
いつもと様子違《ちが》うけど

point

性別や肩書《かたがき》だけで決めつけない

性別に合わせて、「女らしい」とか「男らしくない」という言い方をすることがあります。しかし、今の時代の感覚に照らし合わせると、これらは完全な「**ジェンダーバイアス**」です。

ジェンダーバイアスとは、性別の役割に対する固定観念やそれにもとづいた差別や偏見《へんけん》のこと。男の子だから勇ましく、女の子はやさしくあるべき、というような刷《す》り込《こ》みのイメージを持つことです。

このような「〜らしく」という偏見は、性別だけでなく、その人の立場や役割（肩書）に対しても使われます。「部長らしく」というのは、部長という役割に対するイメージであって、それがそのまま本人の性格に当てはまるわけではありません。

それにもかかわらず、「部長はこうあるべき」という**人格のイメージを押《お》しつけるのは、根拠《こんきょ》のない一方的な固定観念で人を評価する「ラベリング」**にあたります。「〜

らしく」という言葉で決めつけることは、ハラスメントや差別につながりかねません。励ますつもりで「〇〇（名前）らしくない」と言ったのに「私らしいってなに？　知ったようなこと言わないで」と思われることもあります。また、この会話例では、いつもと違う様子を気にしていることを伝えることも大切です。**「どうしたの？」「いつもと違うから気になって」**など、**率直に伝えてみましょう。**

「**ハラスメント**」という言葉について、もう少し詳《くわ》しく解説をしておきましょう。ハラスメントにはさまざまな定義がありますが、大雑把《おおざっぱ》にいうと「**相手が不快と思うようなこと、嫌《いや》がること**」で、いじめともいえます。

ただし、同じ言葉や行動でも、人によって受け止め方が違います。そのため、なにがハラスメントにあたるかを正確に判断するのが難しいところがあります。**誰《だれ》から見てもあきらかに「イヤだろう」という言動がハラスメント**だと考えておけばいいでしょう。相手がイヤがることを繰《く》り返すことも、立派なハラスメントです。

case 39

友だちに励《はげ》ましの言葉をかけたい

テスト返しがあったあと、友だちとの会話で

● レン ●

テストの結果どうだった?

全然ダメだった。

● ユウタ ●

● レン ●

そっかー。でもまあ、**しょうがないじゃん**。もう結果でちゃったんだから。

そうだよな〜。

● ユウタ ●

ついつい言いがちワード……

しょうがないじゃん

こんなふうに言ってみよう！

次があるから大丈夫《だいじょうぶ》
気持ちを
切り替《か》えていこう！

point

自分ではよくても、人から言われたくない言葉

自分で言うのは構わないけれど、人には言われたくないという言葉があります。この「しょうがない」という言葉は、その典型的な例です。

うまくいかないことがあったとき、自分で自分に「しょうがない」と言って、自分を納得させたり、気持ちを切りかえようとすることはよくありますよね。しかし、人から「しょうがない」と言われると、「そんなことをあなたから言われたくない」と反発してしまうものです。

なぜなら「**しょうがない**」**という言葉には、**「**あきらめ**」**に通じる、後ろ向きなイメージがある**から。それを人から言われると、「あきらめなさい」というネガティブなメッセージを投げかけられているようで、とても傷ついてしまいます。

似たような言葉としては、「**しかたない**」「**たいしたことない**」などもあります。

もし、友だちから「全然ダメだった」と言われたら、「しょうがない」と終わったことを指摘《してき》するよりも、これからの**未来に向けた励ましの言葉**をかけたいもの。**「次があるから大丈夫」「気持ちを切り替えていこう」**などポジティブな言葉で背中を押《お》してあげると、弱気になっていた友だちも、終わったことをクヨクヨするより次に向けて具体的に行動しようという気持ちが湧《わ》き上がってくるかもしれません。

落ち込《こ》んで愚痴《ぐち》を言うのは、誰《だれ》かに「大丈夫」といってほしい気持ちがあるからです。確かな根拠《こんきょ》がなかったとしても、**「きっと大丈夫」と言われると、その言葉が心の支えになって安心できます。**

相手を励まそうとするときに、気をつけたいもうひとつのNGワードが「○○よりマシ」という言い方です。人と自分は違《ちが》うというのが大前提なので、○○さんがどうであれ、自分が「全然ダメだった」という事実や、それに対する落ち込んだ感情は変わりません。逆に「○○のことは自分には関係ない」という気持ちにさせてしまうだけなので、**誰《だれ》かと比較《ひかく》して励ますことは避《さ》けましょう。**

case 40

後輩《こうはい》の悩《なや》み相談に のってあげたい

後輩が思い悩んでいる様子を見て

● ユウタ ●

ヒロト、元気ないな。
俺《おれ》が**なんでも聞くよ**。
話してみな。

ありがとうございます。
でも、なんでもないです。
大丈夫です。

● ヒロト ●

ついつい言いがちワード……

なんでも聞くよ

こんなふうに言ってみよう！

○○で困ってるなら、相談にのるよ

放課後なら、話を聞く時間があるよ

point

「なんでも聞く」では、逆に相談しにくい

先輩《せんぱい》として、後輩の元気がない様子に気づいて声をかけてあげるのは、とてもすばらしいことですね。でも、**「なんでも聞くよ」という声かけは、少し漠然《ばくぜん》としすぎているようです**。言われた後輩も、うれしい気持ちはありつつも、「なにをどんなふうに相談していいかわからない」というのが、正直な気持ちではないでしょうか。

「なんでも」という言葉には別の意味でも注意が必要です。たとえば、「そんなことは自分で決められるだろう」というささいなことまで、いちいちSNSのメッセージでこまかく相談されても困ってしまいますよね。

「なんでも言って」と制限を設けないことは、一見、頼《たよ》りがいがあってベストな言い方に思えます。しかし、「なんでも」への感覚が人によって違《ちが》うことも多く、あとからお互《たが》いに「こんなはずではなかった」となってしまうこともよくあります。

悩んでいそうな相手に声をかけるときは、**具体的な問題に焦点《しょうてん》を当ててみる**と、相

手も相談がしやすくなります。たとえば「**元気がないけれど、部活でなにか問題を抱《かか》えている？**」と言われると、より悩みを打ち明けやすくなるでしょう。

もうひとつ、**相談に対応できる時間を伝える**のもポイントです。「いつでも言ってきてね」と言われると、いつなら時間があるのかがわからず、迷っているうちに相談する機会を逃《のが》してしまうというケースも多いはずです。

「**放課後だったら、時間があるよ**」「**水曜日の部活のあとの1時間くらいなら、話を聞けるからね**」と言えば、相談に行くタイミングが計れて、心理的なハードルが低くなります。

あまりしつこくなにがあったかを聞くより、**相手が自分から話すのを待つ**ことも大切です。**悩み相談では「相手の話を聞いてあげること」**がいちばん求められることであり、もっとも重要なことです。

アドバイスや経験談を話すのであれば、後輩の話をじっくり聞いてからということも忘れないようにしましょう。

case 41

がんばっている友だちをほめたい

放課後の教室で

● ハナ ●

塾《じゅく》があるから、
もう帰るね。

さすが、マジメだね～！

● マコ ●

● ハナ ●

そんなんじゃないよ……。

ついつい言いがちワード……

さすが、マジメだね！

こんなふうに言ってみよう！

○○があるんだ、がんばってね！

point

からかいに聞こえる「さすが！」「マジメ！」

「さすが！」や「マジメ！」というのは、言い方やシチュエーションによって、からかいや嫌味《いやみ》と取られがちな言葉です。

相手のがんばりをリスペクトしてほめるならば、冷やかしに聞こえないように声のトーンや言い方には気をつけるようにしましょう。

とくに短い単語のみの声かけはからかっているように聞こえやすいので、「**塾、がんばってね**」という励《はげ》ましや、「**時間管理できてて、えらいなあ**」というリスペクトなど、**少していねいに自分が感じていることを言葉にする**といいですね。

このように、ほめ言葉は、言い方次第では上辺だけの言葉に聞こえて、逆にバカにされた気分にさせてしまうことがあります。

たとえば、言葉の使い方のテクニックとしてよくいわれているものに、「〈へさしすせそ〉のほめ言葉」があります。

〈さしすせそ〉のほめ言葉
さすが・**知**らなかった・**す**ごい・**セ**ンスがある・**そ**うなんだ

相手をほめるときにはこれらの言葉を使うとよいといわれたりもしますが、実際には、これらの言葉を並べられても気持ちが込《こ》もっていなければ、相手に響かずしらけてしまうでしょう。

なにかというと「さすが！」とか「すごい！」と大げさに反応されても、「本当にそう思っているの？」という気分になってしまうのです。

「さすが部活のキャプテンは違《ちが》うよね」「やっぱり生徒会長はすごいよね」と言われても、なんだか素直にうれしいと思えないですよね。

そんな**見せかけの言葉のテクニックよりも、心から相手を「すごい」と思っていることを素直に伝えることを**大事にしてほしいと思います。

case 42

友だちからの申し出を断りたい

係の仕事で忙《いそが》しくしているところに、友だちが

● ユイ ●

大変そうだから
手伝おうか？

大丈夫《だいじょうぶ》。
ユイは**関係ないから、**
気にしないで。

● マコ ●

ついつい言いがちワード……

関係ないから、気にしないで

こんなふうに言ってみよう！

ありがとう。
とりあえずは
大丈夫そうだから、
困ったときは
お願いするね

point

申し出を断るときは、まずは「ありがとう」

人からサポートを申し出てもらっても、「ありがたいけれど、今は助けはいらない」というときがあります。

人に手伝ってもらうためには手順を説明したり、細かく指示を出さなくてはいけないので、それが手間だったり、自分なりのやり方があるので手伝ってもらうとかえっててめんどうということもあるでしょう。

しかし、せっかくの申し出を断るのは、相手に対して悪い気がして心苦しいものです。断りにくいという気持ちから、本来は手伝いはいらないと思っているのに、つい「じゃあ、お願い」と答えてしまったりすることも。そんなふうに気をつかうのもわかりますが、**自分の気持ちや都合を曲げてまで、相手の申し出を受け入れなくてもいい**のです。

もちろん、「あなたは関係ないから、気にしなくていい」という言い方ではそっけなさすぎて、相手の気分を害してしまうでしょう。

とくに「関係ない」という言い方は、文字通り「部外者だ」と宣言していることになります。

断るほうは「関係ない人に手伝わせるのは悪い」と気をつかっているつもりかもしれませんが、**相手からすると、「あなたの助けは必要ない」と聞こえて、がっかりしたり傷ついたりしてしまう**でしょう。

また、いくら「気にしないで」と言われても、かえって気になってしまうものです。

こういうときは、手伝ってもらう、もらわないは別として、相手の親切に対して「**ありがとう**」という**感謝の気持ちを伝える**のが最初です。

お礼の言葉に続けて、「**今は自分だけで大丈夫そう**」「**手伝いはいらなそうだから、気持ちだけもらっておくね**」「**この先、なにか困ったらお願いするかも**」というような言い方で助けは不要だと伝えてみてください。

この断り方なら、相手も気を悪くしないはずです。

第6章

心の言葉

自分の本当の気持ちを
自分の心に聞いてみる

自分の心に自分の気持ちを問いかけて、自分を掘《ほ》り下げる

第5章までは人との会話における言葉の言い換《か》えを紹介《しょうかい》してきましたが、本章では、自分自身との会話で陥《おち》りがちなシチュエーションを例に、気持ちを切りかえて、自己肯定《こうてい》感を高める方法をご紹介したいと思います。自分の本心を理解して自己肯定感を高めることは、人間関係もよくしてくれます。

人とコミュニケーションをとるときにも、自分がやりたいことを実現するためにも、「自分がなにを考えて、どうしたいのかをわかっている」ことから始まります。

そのためには、自分は今、どんな気持ちなのかを知ること、つまり自分に向き合う作業が必要です。今、自分は悲しいのか、それともうれしいのか。そういう自分の気持ちを敏感《びんかん》にキャッチすることが自分に向き合うということです。それができるようになるには、普段《ふだん》から「自分で選んで決める」作業を繰《く》り返すことが必要です。

それは本当に小さなことで構いません。食事のメニューを決めるときに「なんでも

いい」ではなく、「私はナポリタンにする」と言う。遊びにいく時間を決めるときに「みんなに合わせるよ」ではなく、「私は10時集合がいいけど、みんなはどうかな？」と聞いてみる。それが、自己主張をすることにつながります。

なぜ、自分で決めることが大事なのかというと、「自分の人生は自分が選択《せんたく》していくしかない」からです。家族がこう言ったから、先生がすすめてくれたから、友だちがそうしているから……。

そんなふうにまわりに流されて決めてしまうと、うまくいかなかったときに「やらされたから」「そういわれたから従っただけ」と、誰《だれ》かのせいにすることになります。自分で選んでいないから、やりがいも達成感も得られなくなり、「自分の人生を楽しんで生きる」のがどんどん難しくなってしまうのです。

選択肢《せんたくし》がたったひとつしかなくても、みなさんには「自分で選んだ」「自分が決めた」と自己決定できるようになってほしいと思います。そのためには「私はどうしたい？」「私はどういう気持なの？」と、自分への問いかけを日頃から心がけてみてください。

そうはいっても、人は普段《ふだん》、無意識にいろいろな決断をしているので、そこに隠《かく》れている自分の気持ちに気づくのは、大人でもなかなか難しいことです。
そこで、ぜひみなさんに挑戦《ちょうせん》してもらいたいのが、次のような「自分との会話」のトレーニングです。

〈自分と会話するトレーニング法〉

買い物をするとき、どうしてそれがほしいのか、自分に問いかけてみてください。飲み物を買うなら、「どうして今、私はこれを買おうと思っているのかな？」と自分に聞いてみるのです。「のどが渇《かわ》いているから」という答えが返ってきたら、「350mlじゃなくて、500mlを選ぶのはなぜ？」とさらに聞いてみましょう。「今日は一日中外だから、水分補給のために大きめのほうがいいから」など、ひとつひとつの選択に自分の意志があることを確認するようにします。

このような自問自答をノートに書いたり、スマートフォンの日記アプリにメモしてみるのもおすすめです。頭の中で自問自答するよりも、文字にすることでよりはっききりと、自分の考えていることがわかるようになります。

自分の本心を伝えることで、相手も心を開いてくれる

では、どうして自分を掘り下げることが、コミュニケーションスキルを上げることになるのでしょう。

それは、自分の気持ちを把握《はあく》できないと、相手にも正確に自分の気持ちを伝えられないからです。友だちに「なんかイライラするんだけど、この気持ちをわかって」と言ったところで、相手は、「イライラしているのは見てわかるけど、その原因がなんなのか」「それのどこにイライラしているのか」を理解することはできないでしょう。もしかしたら会話のうえでは、「わかる、わかる」とか「〇〇だからじゃない？」などと言ってくれるかもしれませんが、それは表面的なこと。わかったふうな受け答えをして、その場をやり過ごしているだけにすぎないのがほとんどです。

自分で自分の気持ちがわからないし、相手もあなたのことがわからないというまま

では、言葉のやり取りをいくら重ねても理解し合うことはできずに、信頼《しんらい》も生まれないでしょう。

上辺の会話で相談ごとやお願いをしたところで、納得できる言葉が返ってくることはありません。結局、いつまでも心にモヤモヤしたものが残ってしまいます。

逆にいえば、自分が本心を伝える、つまり自己開示をすることで、相手もあなたを理解して、心を開いてくれるようになります。お互《たが》いに真剣《しんけん》に気持ちを伝え合うことができる、とてもよい関係をつくることができるのです。

自分の「最大の味方」は自分

心身ともにまだ成長過程にある10代のみなさんは、複雑な人間関係で悩《なや》むことも少なくないはずです。友だちとギクシャクしてしまった、家族とケンカばかりしてしまう。日々の人間関係に傷ついて、心が疲《つか》れてしまうこともあるでしょう。

でも、だからといって、「自分はどうせダメなんだ」「私は誰ともうまくやっていけない」と、投げやりにならないでください。

どんなに友だちが多くていつも楽しそうな人でも、人間関係で傷ついて落ち込《こ》んだ経験を必ずしています。「人とコミュニケーションがうまく取れない」「自分の気持ちがわかってもらえない」と悩んでいるのは、決してあなただけではありません。

うまくいかないと自分を責めて「自己肯定感」を下げるより、まずは自分が自分の最大の味方になってあげてください。そして、これから少しずつ人とのコミュニケーションで、小さな成功体験を積み上げていけばいいのです。

もちろん、うまく伝わらなくて傷ついたり、傷つけたりという失敗もたくさんあるでしょう。それでも、その失敗は必ず気づきを与《あた》えてくれます。

人間関係が苦手でめんどうだから自分の気持ちは話さず、相手の話も聞かない――。それでは、いつまでたっても心の穴や孤独《こどく》を埋《う》めることはできません。

いつも「自分の声を聞く」ことに立ち返りながら人と積極的にコミュニケーションをし続けることが、人生を支える大きな力になるのです。

case 43

失敗したらどうしよう、と焦《あせ》ってしまう

コンテスト前に緊張《きんちょう》して

明日の

英語スピーチコンテスト、

大丈夫《だいじょうぶ》かなあ。

失敗しちゃったら、

どうしよう……。

マコ

ついつい考えがち……

**失敗しちゃったら、
どうしよう**

こんなふうに考えてみよう！

**きっと大丈夫、
私はできる！**

point

プラスのイメージで「大丈夫」と自分に声かけ

スピーチコンテストや大事な試合、受験などで極度の緊張をしていると、焦りや不安から「どうしよう」という心の声が聞こえてきます。

そんなときは、次のような方法で緊張をやわらげるようにしましょう。

ひとつは、自分に対して**「大丈夫、私はできる」とポジティブな声かけ**をしてあげること。自分に「できる」という暗示をかけることで自信を取り戻《もど》し、いつも通りの実力が発揮できるようになります。

心の中でつぶやくだけでもいいですが、声に出すと耳からも「大丈夫」という言葉が入ってきて、より効果が期待できます。

もうひとつは、**体を動かす**ことです。緊張しているときは心だけでなく、体もこわばっています。体のこわばりが自律神経に影響《えいきょう》して、さらに緊張を高めてしまうという悪循環《あくじゅんかん》に陥《おちい》ってしまうのです。体を動かすことで、自然と心もほぐれてきます。

歩く、階段の上り下りをする、簡単なストレッチをする。手をグーパーするだけでも十分です。

「そんなことで？」と思うかもしれませんが、体と心はつながっているもの。体がほぐれることで心の緊張がほどけ、気分もすっきりしてきます。

体を動かすことは、緊張したときだけではなく、心配ごとがあったり落ち込《こ》んでうつっぽくなってしまったときも効果的。ぜひ覚えておくといいでしょう。

また、**成功した姿をイメージする**のもおすすめです。一流のスポーツ選手ほどイメージトレーニングを重視しますが、それはイメージトレーニングが結果につながるとわかっているから。

緊張するのは、ダメだったときのことを想像しているのが原因です。ネガティブな結果を繰《く》り返し想像するほど緊張が高まり、結果的に失敗を呼び寄せてしまいます。

失敗をイメージするのではなく、できることをイメージしながら「**きっとできる。大丈夫**」とポジティブな声を自分にかけるようにしましょう。

case 44

どうせ私なんてと思ってしまう

みんなよりテストの成績が悪かったときに

どうせ私なんて、
勉強してもムダなのかな。

ユイ

ついつい考えがち……

どうせ私なんて

こんなふうに考えてみよう！

次のテストのために、
なにができるかな

point

マイナス思考をやめ、どうするか問いかける

失敗したり、思い通りにいかないと、「どうせ私なんてダメなんだ」というあきらめの言葉が浮《う》かんでしまうことがあります。

しかし、そんな**自分への「ダメ出し」の言葉を投げかけるのは、気持ちをもっと落ち込《こ》ませる**ことにしかなりません。

人には「**思考のクセ**」というのがあります。

たとえば、テストで1回失敗したという事実は同じでも、「間違《まちが》えたところを復習して、次のテストではがんばろう」と考える人もいれば、「こんなミスをするなんて、私ってなにをやってもダメだな」と考える人もいます。

後者は「**0－100思考**」といって、どんなことに対しても、**ひとつのことがダメだったらほかのことも全部ダメだと考えてしまいがちなタイプ**です。

1回でも失敗をしてしまうと、それを極端《きょくたん》に捉《とら》えて全部ダメだ、なにもできないと

自分を責めがちな人は、「自分はネガティブに考える思考のクセがあるんだな」とまずは自覚することが大切です。

10代は人生経験も浅く、見える世界も人間関係も、学校と家の中という狭《せま》い環境《かんきょう》が中心です。狭い世界しか知らないと、「これがダメでも、ほかがある」という、別の選択肢《せんたくし》になかなか気づくことができません。

そのため、ひとつダメだとまるで人生すべてが終わりかのような大きな絶望感を覚え、「どうせ私なんか」と自分への自信を失ってしまうのです。

もし、自分にそういう思考のクセがあるとわかっていれば、「どうせ私なんか」という気持ちになったときに、**もうひとりの自分が「あ、また悪い方にばかり考えているよ」と声をかけてくれることで、ネガティブ沼《ぬま》にハマることを防げます。**

そして「**この失敗を、どうやって乗り越《こ》えたらいいんだろう？」「ここからなにができるかな？」と自分に問いかけ**てみてください。

自問しているうちに、きっと別の方法が見えてくると思います。

case 45

悪いことを人のせいにしてしまう

親子ゲンカをして

私だって、いろいろ
がんばっているのに、
お母さんが口うるさすぎ。
親子ゲンカは
お母さんのせいだよ!

ついつい考えがち……

○○のせい

こんなふうに考えてみよう！

私にも悪いところがなかったかな

point

「人のせい」にしていると成長できない

人には、うまくいかないことがあると「○○のせい」と他人や環境《かんきょう》に責任を押《お》しつける人と、反対に「自分のせい」と自分を責める人のふたつのタイプがいます。

自分のせいにする人は、自分の悪いところを自覚することができるので改善が見込《こ》めますが、**他人のせいにする人は、悪いところに気づけず、なかなか成長することができません**。もし、自分がすぐ人や環境のせいにするタイプだと思い当たるなら、その思考のクセを今から手放すようにしましょう。

悪いのは人のせいという考え方では、常に「人がなにかしてくれる」ことを期待してしまいます。しかし、人生はほかでもない、その人のもの。本人の力で幸せをつかむしかありません。**誰《だれ》かが幸せを運んできてくれるという期待は捨てるべき**です。

自分自身を幸せにするためには、自分に向き合い、知る作業が必要です。「**自分はどんなことを望んでいるのか**」「**ほしいものやなりたい未来を手に入れるために、ど**

んな行動ができるだろうか」など、ていねいに自分に問いかけてみてください。

もちろん、ときには「誰かのせい」と感じることもあるでしょう。

そんなときは、「〇〇が悪い」という感情におぼれずに、少し冷静になって「**本当にその人のせいだけなのか**」「**自分にも悪いところや足りないところがなかったか**」を考えてみるといいですね。

また、誰かのせいだと思っていても、それを口に出して相手に告げることはあまりしないかもしれません。なぜなら、「どうせ言ってもわかってくれない」「言うだけムダ」と思っているからです。

だからといって、心の中で相手を責めていても、状況《じょうきょう》はよくなりません。そんなときは思い切って、「**こういうことで自分は迷惑《めいわく》をこうむっている**」「**あなたのこういう言動で傷ついた**」**と相手を責めるのではなく、自分の気持ちや状況を話してみてください**。そういう**コミュニケーションを何度も重ねていくことが、人間関係のスキルを上達させてくれます**。

case 46

不安でしかたがない

新学期、新しいクラスになって

新しいクラスメートと
うまくやれるかなあ。
気の合う友だちができるか、
不安だな。

マコ

ついつい考えがち……

不安だな

こんなふうに考えてみよう！

自分から話しかけてみよう

なるべく笑顔でいよう

point

具体的な行動で「不安の芽」を取り除く

具体的なことに対して感じる不安と違《ちが》い、漠然《ばくぜん》とした未来に対する不安を「**予期不安**」と言います。たとえば、いつ起きるかわからない地震《じしん》に対して、「地震が起きたらどうしよう」と不安でたまらなくなるのが、予期不安の典型的な例です。

そういう**将来へのぼんやりした不安は悪い想像をかき立てやすく、不安を雪だるま式に大きくしてしまいます**。

ただ、不安を感じることとは、悪い側面ばかりではありません。不安になるからこそ、対策を立てて準備をすることもできます。地震が怖《こわ》いから、防災グッズや避難ルートを確保しておくなどで、万が一、なにかあっても対処できるという安心感が生まれるのです。

不安を感じたときは準備をするチャンス。そんなふうにポジティブに考えてみてください。不安が大きければ大きいほど、その分、準備をすればいいのです。それによって**不安材料を減らすことができ、自分への自信を取り戻《もど》せます。**

人が不安や心配に思っていることの96％は現実化しないという調査データもあります。悪い妄想《もうそう》で頭をいっぱいにしたところで、最悪の事態はほとんど起こらないということです。不安に振《ふ》り回されるより、小さなことでもいいので、その不安を打ち消すための行動を起こしていきましょう。

ここでは、新学期で新しいクラスになじめるかという不安を抱《かか》えています。その不安を解決するために、できることを考えてみましょう。「**なるべく笑顔でいよう**」「**近くの席の子に自分から話しかけてみよう**」「**自己紹介《しょうかい》をどんなふうにしたらいいかな**」など、**具体的な行動を自分に提案**してみることが大切です。

もうひとつ、知っておいていただきたいのは、新学期のクラス替《が》えが不安なのはあなただけではないということです。新しい環境《かんきょう》が不安なのは、みんな同じ。そう考えてみると、新しいクラスが不安だったとしても、そんな自分にがっかりする必要がないとわかると思います。

case 47

嫌《きら》われたらどうしよう、と思ってしまう

友だちから遊びに誘《さそ》われて

明日のカラオケ、
行きたくないな。
でも、**そんなこと言ったら、**
嫌われちゃうかも
しれないし……。

ハナ

ついつい考えがち……

**そんなこと言ったら、
嫌われちゃうかもしれない**

こんなふうに考えてみよう！

**行きたくないことを
知ってもらったほうがいいな**

**どういうふうに
行きたくないと言ったら、
わかってもらえるかな**

point

「断る」のは「わがまま」ではなく、意思表示

「断ったら嫌われてしまうかも」と思うのは、「断る」＝「拒絶《きょぜつ》」だと考えているからです。しかし、**「断る」のは「意思表示（自己主張）」であり、決して相手を「拒絶」しているわけではありません。**ましてや、「断る」のは「わがまま」でもないのです。

「わがまま」と「意思表示（自己主張）」をごちゃごちゃにして考えている人も多いのですが、このふたつはまったく違《ちが》います。

「わがまま」とは、相手のことを考えずに自分の言いたいことだけを言いっぱなしにすること。自分の考えを押《お》しつけて、相手の意見は完全に無視します。

それに対して、「私はこう思うけれど、あなたはどうする？」と、**お互《たが》いが交渉《こうしょう》や相談をする材料として自分の気持ちを言葉にするのが「意思表示（自己主張）」**です。

自分と相手の意見を出し合いながらコミュニケーションをすることで、お互いが納得できる方法を見つけていくことができるのです。

そもそもコミュニケーションの目的は、お互いをわかり合うことです。それにはなにを考えているのか、どうしたいのかを**お互いが「意思表示（自己主帳）」しなくては始まりません。**

「こうしたら嫌われてしまうかもしれない」と思い悩《なや》んで自分の本心を伝えないままでは、いつまでたっても相手に理解してもらうことはできないのです。

たとえ相手の期待通りでなかったとしても、**自分の気持ちを正直に伝え**て、「**じゃあ、どうしたらいいのか**」を話し合うことが大切になってきます。

「他人は自分を映す鏡」といいます。こちらが気がねをして本音を話さなければ、相手も本心を口にしてくれることはありません。そんなふうにお互いの本音がわからないままでは、コミュニケーションもギクシャクしたものになってしまいます。

「嫌われてしまうかも」と自分を抑《おさ》えるのではなく、「**私の本心を話してみよう**」「**どんな言い方をしたらわかってもらえるかな**」と考えてみてください。

そんな**自分への問いかけ**が小さな勇気となり、よりよい人間関係をつくる力になっていくと思います。

case 48

SNSの楽しそうな投稿《とうこう》がうらやましい

クラスメートが遊びに行ったときのSNS写真を見て

いいなあ、みんな、
楽しそうで。
うらやましいなあ。
僕《ぼく》なんて、
誘《さそ》ってももらえないし……。

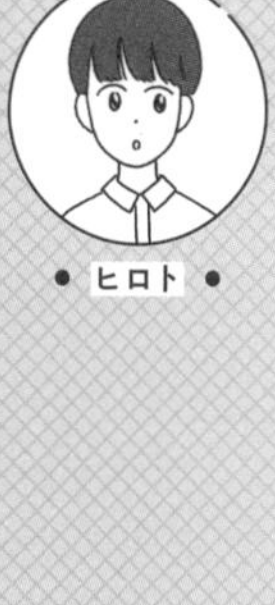

ヒロト

ついつい考えがち……

いいなあ、
うらやましいなあ

こんなふうに考えてみよう！

僕はなにを
うらやましいと
思っているんだろう？

point

なにがうらやましいのか、心の声を聞く

楽しそうにしているSNSの投稿を見て、自分だけ置いてきぼりになったようなうらやましさを感じたり、ねたましく思うことは誰でもよくあることです。

最初に理解しておいていただきたいのは、**SNSの投稿は100%のリアルな世界ではなく、あくまでもその一部を切り取って加工したもの**だということです。

キラキラと楽しそうに見えるのは、そういうイメージを演出しているからにほかなりません。現実かどうかわからないことにとらわれて、思い悩《なや》む必要はないのです。

SNSの投稿がうらやましくて落ち込《こ》んでしまうときは、このことをまず思い出すようにするといいですね。

また、キラキラした投稿に対して、「いいなあ」「うらやましいなあ」と思うときは、**「自分はなにに対してこんなに嫉妬《しっと》したり、うらやましいと感じているんだろう」と、自分の気持ちを掘《ほ》り下げて**みてください。

「うらやましい」という気持ちの奥《おく》には、もっと違《ちが》う感情があるはずです。このケースでは、自分が誘ってもらえなかった「悲しみ」こそが、本当の心の感情です。

自分にきちんと向き合い、**「誘ってもらえなくて悲しいんだな」と自分の本心をきちんと知る**ことはとても大切なことです。自分の悲しみを自覚することは、痛みを感じるつらい作業でもありますが、その気持ちにふたをしてしまうと、自分の本当の感情にどんどん気づけなくなってしまうのです。

自分がつらい、悲しいと感じていることをあえて無視するクセがついてしまい、心が疲《つか》れてしまっていることすらわからなくなってしまう。その結果、ある日突然《とつぜん》心が折れて、心の病気になってしまうケースはとても多いのです。

そんな心の危機を防ぐためにも、「うらやましい」「ねたましい」などの**ネガティブな心の声も正直に話せる存在や居場所をつくれるといい**ですね。

心の声を吐《は》き出すことで、上手に気持ちのバランスをとれるようになります。

おわりに

私たちは社会の中で生きているので、「人からどう思われてもいい」というわけにはいかず、誰《だれ》しもが多かれ少なかれ、人と関わることに神経を使っています。

それゆえに「人に嫌《きら》われたくない」「よい人と思われたい」、そんな思いから「人に合わせる」ことを優先していませんか。

しかし、自分が我慢《がまん》したり、遠慮《えんりょ》したりすれば、丸く収まるのでしょうか。決してそうではありません。集団で生活を行うときに忍耐《にんたい》強いことはある程度プラスに働きますが、あまりに自分を抑《おさ》え込《こ》んでしまうと、自分自身のことすら理解できなくなり、生きることがつらくなります。

かくいう私も、大学時代までは人とのかかわりが苦手でした。ある日、留学生の友人とご飯を食べに行くという流れで、「イタリアンと和食どっちがいい？」と友人に聞かれたときに、おそらくいつものように私が「どっちでもいいよ」と答えたところ、

「あなたがどうしたいか聞いているのに、どっちでもいいとはなにごと?!」と指摘《してき》されたことがあります。

そのとき、自分の意見を言わないことが「正義」のように感じていた自分に気づかされました。


本書の中でも述べていますが、「わがまま」と「自己主張」はまったく別のものです。人は、それぞれに違《ちが》う考え方や感じ方を持っていて、理解するためには、伝え合う必要があります。伝えていないのに「わかってもらえない」と怒るのは間違《まちが》いですし、伝わらないような言い方をしておいて、理解されないことを嘆《なげ》くことほど意味のないことはありません。

ですから、相手が受け取りやすく、わかりやすい伝え方を身につけることがとても重要なのです。

コミュニケーションに勝ち負けはありませんが、もし「勝ち」をあえて考えるなら、「自分の意思が正確に相手に伝わること」です。認識の違い、好みの違いをお互《たが》いに知ることによって、はじめて建設的なすり合わせが可能になります。どこで折り合うのか、自分の譲《ゆず》れないポイントを明確に示すことで、交渉《こうしょう》もスムーズに運びます。

長年、カウンセリングを通じて思うことは、身近な人間関係が良好だと、たいていのことはうまくいくということです。うれしいことも共有できる人がいれば、喜びは確かなものになり、苦しいときも気持ちをわかってもらえる場があれば、それだけで救われることも多いのです。安心して人と関われる環境《かんきょう》にいると、必要以上に背伸《せの》びしたり、鎧《よろい》をまとって、とりつくろったりしなくてもすむので、楽に生きられます。

人間はひとりでは生きていかれません。ひとり暮らしをして、ひとりでなんでもやるつもりでいても、将来、家族をつくるつもりがなくても、社会とのつながりは欠かせませんし、会社などに属さずひとりで仕事をするならなおさらです。

コミュニケーションスキルを高めることは、「生きる力」そのものを向上させることにつながります。

誰《だれ》かのせいや環境のせいにすることは、簡単かもしれません。しかし、他人も過去も残念ながら変えることはできないのです。

しかし、自分と未来は、自分次第でいくらでも変えられます。

本書がみなさんの「生きやすさ」と「自分らしさ」のためにお役に立てれば、こんなにうれしいことはありません。

自分と相手を大切に。豊かな人生の助けとなりますように。

大野萌子

大野萌子（おおの・もえこ）
公認心理師。2級キャリアコンサルティング技能士。産業カウンセラー。
（一社）日本メンタルアップ支援機構代表理事、企業内カウンセラーとして長年の現場経験を生かし、人間関係改善に必須のコミュニケーション、ストレスマネジメント教育を得意とする。官公庁・企業・大学などで講演・研修を5万人以上に実施。シリーズ51万部を突破した『よけいなひと言を好かれるセリフに変える言いかえ図鑑®』ほか著書、『世界一受けたい授業』などメディア出演多数。

10代のうちに知っておきたい
言葉と心の切りかえ術
日常の〝あの場面〟を
どう乗りきればいいかを学ぶ、
話し方教室

2023年6月 5 日　初版第1刷発行
2024年6月20日　初版第2刷発行

著者……大野萌子
発行者……池田圭子
発行所……笠間書院
〒101-0064
東京都千代田区神田猿楽町2-2-3
電話 03-3295-1331
FAX 03-3294-0996

編集協力……工藤千秋
アートディレクション……細山田光宣
装幀・デザイン……鎌内文
（細山田デザイン事務所）
本文組版……キャップス
印刷・製本……大日本印刷

本書制作にあたり、
中高生が抱える
様々な言葉の悩みについて、
神田女学園中学校高等学校の
みなさんほか、複数の生徒さん
にご協力いただきました。
この場を借りて
お礼申し上げます。

https://kasamashoin.jp

ISBN 978-4-305-70984-4